l'homme sous vos pieds

gérard gévry

l'homme sous vos pieds

Quinze / prose entière

Collection dirigée par François Hébert

Illustration de la couverture : Gérard Joly pour P.I.G.
Maquette : Gaétan Forcillo

LES QUINZE, ÉDITEUR
(Division de Sogides Ltée)
955, rue Amherst, Montréal
H2L 3K4
tél. : (514) 523-1182

Distributeur exclusif pour le Canada :
AGENCE DE DISTRIBUTION POPULAIRE INC.
(Filiale de Sogides Ltée)
955, rue Amherst, Montréal
H2L 3K4
tél. : (514) 523-1182

Copyright 1982, Les Quinze, éditeur
Dépôt légal, 1er trimestre 1982
Bibliothèque nationale du Québec

ISBN 2-89026-301-0

PREMIER CYCLE

1

Il manque des jours à ma vie. J'ai beau chercher, je ne les retrouve plus. Tout ce dont je me souviens, c'est d'une tempête de neige tardive. Je revois encore cette grosse ouate mouillée et phosphorescente qui se posait sur l'herbe en train de reverdir.

Courbé sous cette neige pesante et insolente, je louvoyais, les sourcils embarrassés par l'eau qui coulait de ces gros flocons. Mes vêtements, froissés et bariolés de taches, s'harmonisaient avec ma barbe hirsute que j'avais totalement négligée depuis le jour fatidique.

J'allais ainsi, marmonnant contre les inégalités du trottoir, les passants, les autos. Les lampadaires étaient les seuls amis qui ne se sauvaient pas lorsque je cherchais un appui. Près de ces gardiens vigilants, je reprenais mon souffle, gueulant contre tous les piétons de la terre qui avaient la détestable manie de s'esquiver dès que je m'agrippais à eux. Mon aversion calmée, je reprenais ma route, à la merci des pièges que me tendait la neige.

À l'intersection de la rue Closse, une vieille Ford accidentée bifurqua trop vite et dérapa sur la chaussée. L'auto m'arrosa copieusement de sloche avant de s'immobiliser. Les glaces se baissèrent et les sarcasmes d'une bande de mal poilus m'écorchèrent les oreilles.

N'étant pas en état de leur faire la barbe, je m'appuyai contre le lampadaire et chassai maladroitement ce mélange de neige, de boue et d'huile. De temps à autre, je grommelais des menaces contre ces pouilleux qui se moquaient de ma déconfiture.

Comme j'achevais mon nettoyage, l'auto recula et repartit en trombe, m'inondant de tout ce que les pneus pouvaient soulever.

Après avoir enlevé le gros de cette mixture infecte, je jetai un regard, hanté à l'idée que l'auto revienne. La rue étant déserte, l'enseigne lumineuse d'une taverne, qui scintillait comme un phare, me redonna confiance.

Deux garçons de table se préparaient à fermer. J'hésitai, jaugeant leur réaction.

— Tu ne vois pas qu'on ferme ? Fais de l'air !

— J'ai soif.

— Tu n'as pas compris !

— J'ai soif, suppliai-je.

Ils me saisirent par les épaules et m'expédièrent sur le trottoir. Je perdis pied et me retrouvai les quatre fers en l'air.

2

Chaque matin, vers trois heures, la même mésaventure m'arrivait. Les tavernes fermaient et j'errais jusqu'à ce que je parvienne à m'introduire dans un hall. J'y roupillais quelques heures. Immanquablement, un concierge ou un surveillant me chassait, maugréant contre ma fainéantise. Une autre journée d'oubli commençait, plus décevante que la précédente.

Ce matin-là, lorsque j'essayai de me relever, quelqu'un approchait. J'attendis, espérant qu'il m'aiderait.

Le piéton passa outre, ralentit, se retourna et revint lentement sur ses pas. Effrayé, je me traînai dans la neige.

— Je te connais, toi ?

— Ne me touche pas !

— Qu'est-ce qui te prend ? Tu es saoul !

L'homme s'approcha d'un pas et me dévisagea.

— Ne me touche pas ! Je ne t'ai rien fait.

— Tu ne serais pas... Soly... Soly Topier ?

— Ce n'est pas moi.

L'homme hocha la tête.

— Il aurait mieux fait de suivre mes conseils. Dis-lui ça de ma part.

— Tu ne comprends donc pas ? Cet homme, son amour l'a détruit.

— Tu as trop bu. Viens avec moi.

Comme un animal traqué, je reculais à genoux sans le quitter des yeux.

L'homme tendait la main.

— Ne me touche pas, oiseau de malheur... Va-t'en ! Va-t'en !

Incapable de lutter, je ne trouvais rien de mieux. S'il fallait lui lécher les pieds, je le ferais. Pour moi, la défaite et la honte n'existaient plus. J'avais appris à éviter les coups. Partout où j'allais, j'encaissais les pires insultes sans broncher. Si une bagarre éclatait, je me blottissais dans un coin ou rampais sous les tables pour sortir de la mêlée.

— Laisse-moi, suppliai-je. Je ne t'ai rien fait.

— Je ne peux pas t'abandonner comme ça. Tu vas attraper ton mal de mort.

— Au point où j'en suis...

Malgré moi, il m'aida à me relever.

— Viens. J'ai quelque chose pour toi.

— Tu perds ton temps. Je suis un homme fini. F-i-fi-n-i-ni. Fini.

— Je n'ai pas le droit de te laisser te détruire. On a trop d'intérêts en commun.

Il venait de piquer ma curiosité.

— Albert, tu mises sur un perdant.

Je l'avais appelé Albert, sans savoir pourquoi. Il me donna l'accolade.

— Je savais que tu me connaissais, mais tu as bien failli me posséder. De même, c'est toi le pêcheur de Percé.

— Tu te trompes ! La nuit, tous les piétons s'appellent Albert.

— Arrête ton baratin. Tu ne m'empliras pas. Je sais que tu es Soly Topier, celui qui a marié Andréa Daveluy... à moins que ce soit Aline Dextraze... Non, c'est plutôt Mélina Chatel.

— Andréa ? Aline ? dis-je, intrigué.

— Oublie ça. Je me trompais. Toi, ta femme, c'est Mélina.

— Je ne connais plus cette femme. J'ai tué en moi l'homme fier qui l'a aimée. J'ai fait disparaître tout ce qui aurait pu me la rappeler : emploi, appartement, argent, goéland...

— Puisque c'est comme ça, il faut que je te présente mes amis.

3

L'accueil avait été mitigé. Dès que j'avais essayé de les connaître, je m'étais buté à la barrière de leurs habitudes et de leurs manies. Toutes leurs réactions étaient codifiées, empêchant les échanges réels. Je compris, par la suite, qu'ils se donnaient cette carapace, assez efficace, pour se protéger de ce que les autres pensaient d'eux.

Le seul qui s'intéressa vraiment à moi fut Jacques Michaud, qu'on surnommait Coco. Il se prenait pour un philosophe, peut-être l'était-il, et avait réponse à tout. Disciple à sa façon de Pavlov, il réduisait chaque activité humaine en réflexes conditionnés.

Coco trouva en moi un nouveau cobaye pour mettre ses théories à l'épreuve. Je le laissai *pratiquer*, désireux avant tout de m'en faire un allié.

Ayant démystifié la société, Coco avait en horreur ceux qui étaient trop bêtes pour se rendre compte qu'ils n'étaient qu'un rouage du vaste engrenage.

Il avait résolu de ronger le système en vivant aux dépens du colosse. Ses amis, pour des raisons aussi diverses qu'invraisemblables, avaient décidé d'en faire autant, rêvant du jour où la société s'écroulerait, sapée par leur influence.

4

La rencontre de Coco et de ses amis ne réglait guère mes problèmes d'argent. C'était plutôt le contraire qui se produisait. Jusqu'à présent, je m'étais contenté de repas frugaux, m'alignant avec d'autres le long de murs tristes dans l'attente de sandwichs, d'un bol de soupe ou de gruau distribués par des organismes charitables. Comme je restais toujours sur mon appétit, je trompais la faim en me faisant payer la traite.

Le manège avait fonctionné jusqu'à ma rencontre de Bébert. Mais, avec mes nouveaux amis, on aurait dit qu'il était plus difficile de trouver un client compatissant. Puisqu'ils m'avaient eux-mêmes fourni à boire, ils s'attendaient que je leur rende la politesse, me taquinant au point que je ne les trouvais pas toujours drôles.

Ce que je ne comprenais pas, c'était comment ils s'y prenaient, eux qui crachaient continuellement sur l'argent et les grosses légumes des compagnies, pour se procurer d'intarissables dollars froissés qu'ils tiraient du fond de leurs poches. Au dernier succédait immanquablement un nouveau billet oublié dans une autre poche.

Ils me mettaient carrément de côté depuis une semaine, m'assoiffant plus que de raison. Je profitai d'un moment où j'étais seul avec Coco pour essayer de percer le mystère des petits trésors.

— Tu n'as qu'à faire comme nous autres, la débrouille, me répliqua Coco.

— La débrouille ?

— Oui, tous ces petits services qu'on rend, c'est payant.

— Comme ?

— Faire des messages, retrouver quelqu'un, repérer les étrangers louches, livrer des colis...

— Livrer des colis ! Il y a la poste pour cela.

— Pas quand tu veux être certain que la personne reçoive à la bonne heure ce qu'elle attend.

Pendant plus d'une heure, Coco m'initia aux *services parallèles*, mais il fut avare de détails. La discrétion était de mise partout, insistait-il.

M'étant montré intéressé, il promit de me mettre à l'essai à condition que je lui refile la moitié de la commission pour chaque contrat qu'il me négocierait. Deux jours plus tard, j'effectuais mon premier message : avertir Stéphane à la Brasserie du Gaulois que son ami l'attendait dans le bar du Chat Perché. Le Stéphane en question me donna cinquante sous pour l'avoir averti et me pria de déguerpir. Coco, frustré du peu de largesse de Stéphane, me gronda et voulut tout me prendre. À l'avenir, je devrais toucher l'argent avant de livrer le message et Coco se chargeait de le tarifier selon son importance.

Mes expériences subséquentes ne furent guère plus avantageuses. Devant le prix, certains refusaient de s'intéresser à l'information et j'étais obligé de vendre à rabais pour ne pas tout perdre, ce qui n'était pas le cas de Coco qui prenait sa moitié sur le tarif fixé au départ.

Je me lassai de ces démarches où la politesse faisait place à la méfiance et à la suspicion. Coco me traita de fainéant et blâma mon manque d'envergure. À l'entendre, je n'avais pas assez de front pour m'imposer et dicter mes conditions. Un seul point militait en ma faveur : je respectais les directives, si on exceptait le prix.

— Le jour où tu sauras leur faire cracher les billets, on pensera à toi pour quelque chose de plus important, de plus payant.

Cette promesse me stimula au point que j'encaissai les sommes prévues les jours suivants.

— Tu vois, tu es capable, m'encouragea Coco un vendredi soir. J'ai justement pensé à toi pour un service spécial. Le tarif : cent dollars.

Il sortit un paquet minuscule protégé par un étui de plastique.

— Porte-le à la Baguette Dorée. C'est à cinq coins de rue, en prenant Lagauchetière. Celui que tu cherches aura un bracelet de cuir rouge au poignet. Amène-le à l'écart discrètement. Personne d'autre doit te voir lui remettre ce sac. C'est cent dollars, pas moins.

La Baguette Dorée était une salle de billard à la devanture prétentieuse qui ne manquait pas d'attirer le regard. À l'intérieur, les néons surbaissés étaient auréolés de fumée de cigarette qui sentait le foin brûlé. Plusieurs parties étaient en cours entre des clients, pour la plupart jeunes et bruyants. Je repérai rapidement un homme dans la vingtaine, chevelu et barbu, le bras droit tatoué d'un serpent torsadé sur une croix. Ce fut cependant son bracelet de cuir rouge qui retint mon attention. Mine de rien, je fis le tour de la salle. Personne d'autre ne portait un bracelet de cette couleur.

Si l'homme m'avait repéré, il n'en laissait rien paraître, absorbé qu'il était par les trois billes qui restaient. Il les réussit, puis empocha la noire au centre après un rebond. Il leva sa baguette en signe de victoire dans ma direction. Je lui fis signe de la tête, comme quoi je désirais lui parler. Il m'ignora et encaissa la gageure. Pendant que son partenaire remettait les billes en place, il me désigna les toilettes des yeux. Je m'y rendis. Il ne tarda pas à me rejoindre.

— Tu ne vois pas que tu me déranges ! me blâma-t-il. J'étais en veine et je vais manquer la prochaine partie.

— J'ai un petit colis.

Je le lui montrai.

— C'est cent dollars.

— Tu veux rire, me nargua-t-il. Les portiers nègres veulent être payés comme des rois !

— Cent dollars ou rien, insistai-je.

— Je n'ai pas de temps à perdre. Ouvre-le.

Surpris, je m'exécutai. Il y avait trois sachets de sucre.

— Ouvre... Goûte.

Je m'exécutai avec méfiance. C'était du sucre.

— Je manquais de sucre pour mon café et tu veux que je te donne cent dollars pour les sachets que Coco m'envoie. Tu es tombé sur la tête ou quoi ?

Il saisit les deux sachets intacts et s'en alla, me laissant bouche bée.

Coco m'accueillit la main tendue. Il voulait sa part. Je ne savais plus qui croire. Il avoua finalement qu'il s'agissait d'un test. Pour regagner ma confiance, il me donna dix dollars, une avance sur ma prochaine commission, précisa-t-il.

Moi qui commençais à prendre au sérieux les petits travaux qu'on m'octroyait ! Cette manipulation était si dégueulasse que je me retrouvai dans la Taverne des Marins à ingurgiter bière sur bière, flambant mon avance en moins de deux.

Je m'apprêtais à resquiller une consommation supplémentaire quand Coco arriva, l'oeil méchant.

— Je pensais bien te trouver ici. C'est tout ce que tu sais faire : te saouler. Dire que je me suis démené comme le diable dans l'eau bénite pour t'obtenir... Tu es déjà trop éméché.

— Moi, éméché !

Je m'étais levé tout d'un pan.

— Regarde, je suis solide comme du roc.

— Ça va. Viens dehors.

Le roc s'effrita lorsqu'il fallut marcher pour sortir. Je camouflai bruyamment mes jambes molles, donnant des accolades à ceux qui se trouvaient sur mon passage, en profitant ainsi pour prendre appui.

Heureusement, la fraîcheur de la nuit condensa la brume dans mon cerveau.

— Dire que j'avais réussi à t'obtenir une livraison de confiance.

— Tantôt, j'avais un peu de vapeurs de trop, concédai-je. Maintenant, je suis de première force.

Coco m'examina, toujours sceptique.

— Je te jure que je ne commettrai pas de gaffes.

— Il faut surtout du doigté.

— Du doigté et pas de gaffes. Je suis ton homme.

— Bon, se décida-t-il. Il y a un client qui attend un approvisionnement au Bar Central. C'est cent dollars de commission et tu me rembourses ton avance.

— Comment je le reconnaîtrai ?

— Il porte une chaîne en argent avec une breloque de femme nue. Tu lui remets le paquet incognito. Il ne doit tomber entre les mains de personne d'autre. S'il y a un pépin, tu n'es au courant de rien. Tu piges ?

Je lui marmonnai ses directives. J'avais retenu l'essentiel.

Le Bar Central était situé à plusieurs coins de rue, ce qui me permettrait une marche salutaire pour endiguer les effets de l'alcool.

En dépit de l'heure tardive, il y avait beaucoup d'activité dans les rues avoisinantes et de nombreuses autos étaient stationnées à proximité, certaines étant même occupées par des hommes. Je m'approchai en sifflotant, ragaillardi par l'air frais et à l'idée que je toucherais enfin une vraie paye. Depuis le temps que je n'avais pas eu d'argent à moi!

Des clients entraient et sortaient régulièrement. D'autres jasaient près de l'entrée. Parmi ceux qui quittaient, personne ne semblait saoul. Sans doute étaient-ils trop entassés à l'intérieur, ce qui expliquait ce va-et-vient.

Comme dans un film bien orchestré, je notai que des hommes sortaient simultanément d'autos garées des deux côtés de la rue. Je me retournai. C'était la même chose à l'arrière. Les hommes coururent rapidement, cernant l'édifice et ses abords.

— Police ! Que personne ne bouge !

Je figeai. Déjà des hommes envahissaient le bar pendant que d'autres faisaient le guet. Le vacarme provoqué par cette intrusion fut de courte durée.

J'ai de la veine de ne pas être à l'intérieur, songeai-je. Je continuai, faisant mine d'aller ailleurs qu'au Bar Central.

— Eh ! toi, tu n'as pas compris ! m'apostropha un policier en civil, coiffé uniquement de sa casquette.

— Il n'y a plus moyen de se promener sur le trottoir sans se faire arrêter maintenant, ironisai-je.

— Aïe ! le beau fin, tu restes là comme les autres.

Le ton cassant n'admettait pas de réplique. Le petit paquet que je transportais me glaça. J'étais cuit. La fouille en règle et le contrôle d'identité étaient amorcés. Le mugissement des sirènes indiquait que les paniers à salade étaient en route pour cueillir la moisson.

Une bouche d'égout à quelques pieds attira mon attention. Si seulement je pouvais m'en approcher ! espérai-je. Je fis un pas.

— Où vas-tu ?

Je lui fis un sourire conciliant qui le gêna. M'ignorant, il suivit les manoeuvres. Encore deux pas. Je les fis. Il me vit. Je lui servis un geste de la main, l'air de dire : pitié, pitié, je ne me sauve pas. Il s'intéressa cette fois aux paniers à salade qui arrivaient. Je jetai un regard pour m'assurer que je n'étais pas observé par un autre flic. Avec d'infinies précautions, pour ne pas qu'un geste brusque attire son attention, je laissai glisser le paquet le long de ma jambe. Il y eut un bruit à peine audible. Le policier ne sourcilla pas. Par manque de veine, le colis s'était arrêté sur un barreau. Je le poussai du pied. Il tomba entre deux barreaux et resta coincé. Du rebord de ma semelle, j'essayai de le dégager. La manoeuvre réussit sans attirer l'attention.

— Celui-là, tu l'embarques avec les autres après l'avoir fouillé, ordonna une voix derrière moi.

Je sursautai. J'avais été tellement absorbé par le colis à faire disparaître que je ne l'avais pas entendu venir.

Les jambes écartées, les bras à plat sur le toit d'une auto, je connus l'affront de mains étrangères qui ne laissèrent aucune partie de mon anatomie inviolée. On me dirigea ensuite dans un fourgon bondé qui nous amena au poste de police où on nous parqua dans une cellule devenue exiguë. Debout derrière les barreaux, j'eus honte, peur qu'on me voie, qu'on sache que j'avais été arrêté comme un vulgaire criminel.

Je me voyais déjà en première page dans les journaux, quelques journalistes et photographes étant accourus et discutant ferme avec les responsables de l'autorité, la descente ayant fait du bruit dans le milieu. Je me réfugiai à l'arrière de la cellule, redoutant, dans un flash apocalyptique, que la nouvelle d'une telle infamie parvienne jusqu'à Percé.

DEUXIÈME CYCLE

1

Lors d'un interrogatoire sommaire, je déclinai mon identité et mon adresse. N'ayant plus de domicile fixe, je donnai la dernière chambre que j'avais occupée. Tôt l'avant-midi, on me relâcha, aucune charge n'ayant été retenue contre moi.

Cette arrestation, malgré le vent de panique qui s'était emparé de moi, était probablement ce qui m'était arrivé de mieux ces derniers temps. L'alerte avait été chaude et j'appréciais ma chance. Où serais-je maintenant si on avait trouvé le colis sur moi ? Qui m'aurait tiré de cette impasse ? Sûrement pas Coco et sa bande.

L'après-midi, je me rendis incognito à la chambre qui m'avait servi de gîte jusqu'à ma fugue. Une colère sourde m'envahit : un nouveau locataire y était installé et mes biens avaient été confisqués. Ma première réaction fut de protester. Je me ravisai, craignant les représailles du propriétaire.

En sortant de l'immeuble, je figeai. Albert Sauvé m'attendait.

— Que fais-tu ici ? demandai-je.
— Je te suivais, dit-il d'un ton sec.
— Tu me suivais ! Pourquoi ?
— Que leur as-tu dit ?
— À qui ?

— Ne fais pas l'innocent ! s'impatienta-t-il. Ils t'ont arrêté. Qu'as-tu raconté aux policiers ?

— Rien.

— Rien ! Et ils t'ont relâché ! ironisa-t-il. Ils sont cons, mais pas à ce point-là. À moins qu'ils t'aient relâché en échange de certains renseignements...

Son regard était mauvais.

— J'ai donné mon nom et l'adresse de mon ancienne chambre ici. Comme ils m'avaient arrêté sur le trottoir, j'ai prétendu que je passais là par hasard.

— Ils t'ont cru ?

— Puisqu'ils m'ont relâché...

— Qu'as-tu fait du paquet que Coco t'avait confié ?

Décidément, il était bien renseigné : la chambre, le paquet. Il avait sûrement des contacts qu'il manipulait à sa guise.

— Je l'ai laissé tomber dans une bouche d'égout, près du Bar Central.

— Tu penses me faire avaler ça ?

— C'était le seul moyen pour que les policiers ne le retrouvent pas.

— Tu le récupères et on n'en parle plus.

— Le récupérer ! Comment ?

Son regard s'anima.

— Ce sont tes problèmes.

J'étais dans mes petits souliers. Moi qui croyais avoir bien agi, étant donné les circonstances, voilà qu'on me tenait responsable.

— Je peux t'amener jusqu'à la bouche d'égout où je l'ai jeté, proposai-je. J'ignore comment on entre là-dedans.

— Il ne faut surtout pas rôder dans les parages. Après une descente, l'endroit est truffé de flics. Ils espèrent qu'un niais va se pointer pour récupérer la marchandise qu'il a planquée.

— Qu'est-ce que je peux faire alors ?

— Rembourser.

La sentence venait de tomber sèchement, sans appel.

— Combien ?

— Mille dollars.

— Qu'est-ce qu'il y avait de si précieux dans ce petit paquet ? parvins-je à articuler.

— Ce n'est pas de tes oignons !

Un doute me tenaillait. S'il s'agissait encore de sachets de sucre, je payais rudement cher et on m'embarquait de belle façon.

— La dernière fois, c'était des sachets de sucre, insinuai-je.

— Pas cette fois-ci !

— Je n'ai pas d'argent.

— Il faudra en trouver. Quand on fait des commissions, on est responsable de la marchandise qu'on trimballe. Si tu avais eu la conscience tranquille, tu aurais averti Coco dès ta sortie du poste de police. Au lieu de cela, tu es venu te cacher dans cette bâtisse.

— J'espérais retrouver mon linge, bredouillai-je.

— Qu'est-ce que tu comptais faire avec tes guenilles ?

J'étais dépourvu. Aucune explication ne serait valable à ses yeux. Pire, je le lisais dans son regard, il me soupçonnait d'être sur le point de prendre la poudre d'escampette.

2

J'étais coincé. À cinquante dollars par commission, c'était ma part, il me faudrait passer à travers les embûches vingt fois sans me faire pincer. Comme la loi de la moyenne n'était déjà pas en ma faveur...

Je m'en ouvris à Coco. La solution était encore plus compliquée que prévu, car il fallait ajouter les intérêts à l'argent que ma gaffe leur avait coûté. Je m'y retrouvais de moins en moins. Perdre la marchandise était une erreur impardonnable, être pris avec aussi. Quelle issue restait-il ?

Ce qui me tracassait par-dessus tout, c'était les mille dollars qu'était censé valoir mon colis. Si tel était le cas, pourquoi le client m'en donnait-il seulement cent dollars ?

Réticent, Coco m'invita à me méfier. Je n'avais pas à connaître le mécanisme d'une transaction. Je n'étais que le livreur. Je le pressai de questions qu'il éluda. Je déduisis finalement que le client payait à l'avance, ce qui minimisait les risques, aucune marchandise n'étant échangée à ce moment-là. On utilisait ensuite une tierce personne pour le transfert et on lui donnait une commission.

Je m'en voulais d'être tombé dans le panneau si bêtement. Si je n'avais pas flambé en boisson le dix dollars qu'il m'avait avancé, j'aurais eu l'esprit plus alerte. Avec tous ces hommes en attente dans les autos que j'avais remarqués, j'aurais flairé le piège.

Mon manque d'intuition était inexcusable et je comprenais le scepticisme de Bébert et de Coco. L'erreur était trop grosse à avaler. À leurs yeux, je redevenais un pauvre hère à qui ils avaient eu tort de faire confiance et qui était responsable de la perte de leur marchandise.

Le remords n'était pas un sentiment prisé dans ce milieu. Il était perçu comme un signe de faiblesse, d'incapacité dangereuse qui mettait les autres en péril. Dès qu'un membre était soupçonné de cette baisse de motivation pour son ouvrage, son élimination radicale s'imposait.

Dégoûté par ces manigances, je n'éprouvais qu'un seul désir : avoir la paix sans dénoncer personne.

3

— Soly, je t'avertis, si tu t'en vas, ils ne le digéreront pas.

— Qui ça, ils ?

— Ceux qui t'ont accordé leur confiance.

— Je croyais que je travaillais pour toi.

— Moi et d'autres. N'oublie pas, tu me dois mille dollars que je suis obligé à mon tour de leur rembourser.

Les yeux dans le vague, je tournais machinalement un verre vide entre mes doigts.

— Méfie-toi. Ils ont le bras long. Quand le mot est passé, la Ville grouille de taupes qui fouinent tant qu'elles n'ont pas trouvé. Chaque visage que tu croises est un indicateur possible à leur solde. Personne ne leur échappe. Tu saisis ?

La question de Coco me ramena sur terre.

— Quoi ?

— Se sauver, c'est signer son arrêt de mort.

Un frisson me secoua. Je l'implorai du regard.

— Coco, je ne fuis pas. Je me mets à l'abri.

— Penses-tu qu'ils feront la différence ?

— Toi, tu leur diras. D'ailleurs, je paierai tout ce qu'ils ont perdu à cause de moi. Mort, je ne leur rapporterais rien.

— Dans le milieu, on ne pose pas de questions quand

quelqu'un arrive. On le laisse faire ses preuves. Mais la seule façon honnête de le quitter, c'est les pieds devant.

— Je ne peux pourtant pas rester là à attendre.

— C'est toi qui le dis !

— Je n'ai jamais demandé à être membre de votre groupe. C'est Bébert qui m'a amené ici, sans dire ce qu'il voulait de moi. Je n'y suis pour rien.

— Que tu sois venu librement, qu'on t'ait traîné, ce sont des nuances qui n'empêcheront pas une balle de s'égarer ou un couteau de te fouiller les côtes.

Pareille malveillance était impensable. Coco blaguait-il ? Il m'avait toujours inspiré de la sympathie et je cherchais la brèche qui le convaincrait de prendre mon parti.

— Crois-moi, tout ce que je désire, c'est gagner de l'argent honnêtement.

Le mot le fit sourire.

— Ce serait à ton avantage, puisque je pourrais te rembourser sans courir de risques ni te compromettre. Si je dénichais un emploi...

— T'es-tu vu ? Personne ne voudra de toi.

Sa dérision me cingla. J'avais encaissé les pires insultes dans les tavernes, les bars, la rue, mais jamais je n'avais été autant piqué à vif.

— Il y a sûrement un emploi où l'apparence ne compte pas.

— Oui, embaumeur, me nargua-t-il. Mais il faut de la compétence.

— Avec un emploi, je pourrais te rembourser, disons, cent dollars par semaine. En dix semaines, j'aurais fini.

— Oh ! la ! la ! Que tu comptes mal ! Tu oublies les intérêts. C'est cher les intérêts. De toi à moi, peut-être que non, mais eux, ils vont me les charger, les intérêts. Pour mille dollars, il faut compter, à cent dollars par semaine, un bon six mois.

— Ça fait deux mille cinq cents dollars, dis-je, atterré. C'est du vol.

— Ici, ce n'est pas la banque. Ils n'ont pas le temps d'attendre après l'argent.

C'était de l'exploitation pure et simple. Leurs manipulations me répugnaient, mais j'étais décidé. Un fond honnête en moi avait besoin d'air, réclamait sa liberté à tout prix.

— C'est d'accord. Je trouve un emploi et je te rembourse, à tes conditions.

Cette proposition le tenta, même si je n'avais aucune idée sur la façon dont je m'y prendrais.

— Il faudra toutefois que tu rendes de petits services de temps à autre. Tant que tu restes dans le bain, tu inspires confiance. Sinon, je ne donnerais pas cher de ta peau.

Cette concession était impensable. En rendant de nouveaux services, je risquais des pépins et des dettes supplémentaires. À ce rythme-là, il serait impossible de m'en sortir. Frustré au plus haut point, je l'empoignai par la chemise.

— Coco, tu n'as pas le droit de me laisser tomber. Suis-je ton ami, oui ou non ?

Comme il restait muet, je le secouai.

— Soly, tu signes ton arrêt de mort, murmura-t-il, les dents serrées.

Furieux, je tordis le col de sa chemise.

— Tu vas me le payer cher. S'attaquer à l'un de nous, c'est s'attaquer à tout le monde. Lâche-moi.

Coco était cramoisi ; je compris que je devais obéir. En silence, les yeux rivés au sol, j'attendis pendant qu'il replaçait sa chemise.

— Ne cherche pas à comprendre, commença Coco, la voix grave. Va voir Georges Cloutier. C'est lui qui s'occupe d'engager du monde pour les services sanitaires

25

de la Ville. Il aura sûrement un emploi pour toi. Une fois casé, entre dans ton trou et restes-y, sinon je ne réponds de rien.

Je bredouillai un remerciement.

— Ne me remercie surtout pas. Je croirais que tu m'achètes.

4

Georges Cloutier, pensif, me dévisageait.

— On m'a recommandé ta candidature si tu acceptes certaines conditions en plus de celles normalement exigées. Tu comprendras, avec le taux de chômage actuel, que les emplois sont rares. Même ici, on a une liste d'attente. Pour être franc avec toi, ce n'est pas ton tour.

— J'ai besoin d'argent et vite, le suppliai-je presque.

Coco avait-il monté ce coup pour me prouver que la seule façon de les rembourser était de demeurer à leur service ?

— Tout le monde a besoin d'argent. Ce n'est pas un critère valable pour déterminer si un employé sera fiable et efficace.

— Essayez-moi. Vous verrez. Quand je m'y mets, il n'y a rien pour m'arrêter. J'ai été pêcheur pendant des années.

— Je regrette, mais ce n'est pas une référence pertinente pour devenir égoutier. Quel emploi as-tu exercé ces dernières semaines ?

— Aucun, bredouillai-je. J'étais en chômage.

— Et porté sur la bouteille.

Le diable l'avait renseigné !

— J'aime savoir à qui je m'adresse, continua-t-il

avec un sourire indéfinissable. C'est la meilleure façon de mettre cartes sur table pour qu'on se comprenne bien.

— J'ai beaucoup bu depuis quelques semaines, avouai-je timidement. Avant, à peu près jamais.

Son sourire s'élargit.

— J'apprécie qu'un gars soit franc. Soly, je te trouve sympathique. Peut-être qu'on pourrait faire un accroc à la liste d'attente.

Je n'osais y croire. Mes lèvres figèrent, de peur de l'indisposer par une parole trop hâtive.

— Tout d'abord, plus question de boisson.

J'acquiesçai du regard.

— Une seule entorse et c'est le renvoi, insista-t-il.

— J'ai eu ma leçon, l'assurai-je.

— Tu dois de l'argent. Je ne veux pas savoir pourquoi. Tout le monde a des dettes. La personne exige que l'argent soit retenu directement sur ta paye. C'est une procédure qui n'est pas régulière. Je risque des ennuis.

Il me regarda dans le blanc des yeux.

— Je n'ai pas l'intention de vous créer des problèmes.

— Toi ? Peut-être pas ! Si mes supérieurs... Il serait possible de contourner la difficulté en me signant une autorisation de retenue.

— Je suis d'accord.

— Je ne serai pas aussi gourmand que les autres, ajouta-t-il, le regard malicieux. Les petits services que je te rends valent sûrement un vingt dollars supplémentaire. Donc, une retenue de cent vingt. Il t'en restera suffisamment pour vivre. C'est à prendre ou à laisser.

Je n'avais pas le choix. Je signai l'autorisation de prélèvement sur mon salaire.

— O.K. ! Tu commences demain.

Il se leva et me serra la main.

En sortant de l'édifice, le soleil m'aveugla. Sous l'effet de la chaleur torri.. ~ le gazon fraîchement coupé d'un petit parc voisin entouré de bitume avait fermenté. Grisé par cette odeur vive et la joie d'avoir trouvé un emploi, je louvoyai comme un ivrogne, à mille lieues des conversations joyeuses sous les auvents des boutiques.

5

En soulevant la bouche d'égout, une odeur rance me saisit au nez.

— Ne joue pas au délicat, ironisa mon guide.

Hésitant, j'enfourchai le rebord et descendis les échelons.

Quand on fait la connaissance d'un domaine nouveau, les impressions les plus durables sont celles que l'on ressent en premier. Lorsque je dormais à côté de Mélina, son souffle suffisait à m'assurer de sa présence. En pénétrant dans ce trou, dès ma première bouffée, j'entrai en contact avec la respiration d'un être mystérieux vivant dans les entrailles de la terre.

Cette présence bizarre à mes côtés s'estompa vite. Un bruit lointain, à peine perceptible, semblable à un roulement souterrain, m'inquiéta. Le monstre n'était qu'une petite chute à la voix claire.

— Grouille-toi, tempêta mon compagnon.

Je posai le pied dans le fond du puits et ma botte s'enfonça dans une pâte visqueuse. Je faillis perdre pied.

— Range-toi, si tu veux que je te rejoigne, m'ordonna-t-il.

Craignant de me salir contre la paroi tapie dans la pénombre, je me déplaçai sans hâte, malgré les imprécations de mon guide. Au fond, il riait sous cape.

Que je le veuille ou non, il me fallut respirer. À ma grande surprise, l'odeur qui m'avait tant déplu à la surface avait été remplacée par une fraîcheur remarquable.

— Cesse de faire le nez fin. Je n'ai pas de temps à perdre.

— Écoute, Turgeon, on n'a pas à se presser, il me semble.

— Penses-tu que je n'aie que ça à faire, déniaiser des nouveaux ? Le travail, il faut que ça se fasse !

— Je n'ai pas voulu vous vexer, monsieur Turgeon, répliquai-je, simulant de le prendre de haut.

— Dans les égouts, on laisse tomber le fla-fla. S'il y a quelque chose qui me tombe sur les rognons, c'est bien ça. Appelle-moi Albany, comme tout le monde.

Albany s'engouffra dans l'étroite canalisation de deux pieds de diamètre qui permettait de vider le puits de cette bouche d'égout. J'eus à peine le temps de le voir se déplacer. Déjà il m'ordonnait de le suivre.

Accroupi, la tête penchée, j'entrai dans ce trou noir qu'éclairait la lampe de mon casque. Dans une main, j'avais le bâton plat de dix-huit pouces qu'on m'avait remis. J'en comprenais maintenant l'utilité, lui seul garantissant mon équilibre.

Ce n'était pas suffisant de me mettre dans cette position précaire ; il me fallait avancer. J'eus un moment de découragement. Albany s'éloignait comme une gazelle dans ce couloir où j'étais coincé. Ce fut la crainte de retomber entre les mains de Bébert qui me fouetta.

À chaque pas ou glissade sur la pointe des pieds, je risquais de m'étaler sur cette couche de limon qui servait de lit à un filet d'eau jaunâtre. Déjà, à force de piétiner, j'avais mal aux chevilles et aux jarrets. Me faudrait-il, comme l'Italien de la semaine dernière, me jeter à plat ventre et ramper dans les immondices pour me tirer de cette impasse ?

Albany avait atteint l'égout central du secteur. Il pressa un commutateur et revint s'accroupir devant la conduite où je piétinais. La lampe de son casque braquée sur moi, il suivit avec intérêt chacun de mes mouvements.

— Grouille-toi, grosse tortue empâtée ! Ce n'est pas le temps de pondre !... Si tu penses dormir là, je vais revenir demain...

Flagellé par les invectives d'Albany, je me hâtais. La fatigue et le fait d'être observé me rendaient plus gauche que jamais. À chaque mouvement trop brusque, je m'éclaboussais copieusement. Quand je fus plus près, Albany prit un malin plaisir à m'aveugler avec sa lampe.

— À ce que je vois, tu as tout à apprendre, même à marcher.

— Dans cette boue dégueulasse, c'est du sport, approuvai-je avec une bonne humeur feinte.

— Ici, il faut réapprendre. Si tu ne veux pas goûter à cette mélasse, fais des pas courts et tiens-toi toujours prêt à t'appuyer sur ton bâton.

— Et si je tombe ?

— Relève-toi pour qu'on ait la chance de te voir, pour rire de toi. Sache, mon gars, qu'un bon égoutier ne tombe jamais.

— C'est un dieu alors !

— Presque.

Surpris par l'excellente acoustique, qui favorisait les conversations à distance, j'avançais avec précaution, ébloui par la lampe d'Albany. Lorsque je passais, j'avais le don de faire tomber les gouttes d'eau qui suintaient de la paroi. Les vêtements que m'avaient fournis les services sanitaires de la Ville en devinrent gluants.

— Tu n'auras pas de médaille pour ta rapidité, ironisa Albany lorsque je l'eus rejoint.

Je souris et encaissai sans broncher sa tape dans le dos, même si sa main dégoulinait d'immondices. Après tout, un peu plus ou un peu moins.

— J'aurais bien aimé t'y voir pendant la crue, ce printemps ! Malgré l'eau, on a circulé pour déceler les brèches qui apparaissaient partout et on les a colmatées avant que les dommages soient trop grands. Il n'y a rien de pire que le dégel pour vous jouer des tours.

— Colmatées ? C'est quoi ce travail-là ?

Albany me dévisagea, ironique.

— Ah ! monsieur le Nouveau ne comprend pas. Il faudra tout lui montrer.

D'instinct, j'entrai dans le jeu.

— Si monsieur le Professeur des égouts veut s'en donner la peine, dis-je, j'apprendrai.

— Élève Topier, écouterez-vous votre maître ?

— Monsieur le Professeur, c'est votre science qui m'intéresse, pas votre autorité.

— Oh ! oh ! Qu'est-ce que j'entends là ? On se révolte dans la basse-cour !

— Grand seigneur, pardonnez cette méprise, mais l'obéissance n'est pas essentielle si le travail est bien fait.

— Sujet Topier, comment pourriez-vous réussir si vous n'obéissiez pas ?

Ce petit jeu m'amusait et stimulait la malignité d'Albany. J'avais oublié que nous étions sur une passerelle sans garde-fou, au milieu d'un véritable tunnel éclairé par de rares ampoules électriques. À nos pieds, des déchets de toute nature étaient entraînés dans plusieurs pouces de liquide gras.

— Que répondez-vous à cela ? insista-t-il. Vous soumettrez-vous à celui qui vous a été désigné comme supérieur ?

Je me mordis la lèvre supérieure.

— J'ose vous faire remarquer que je travaillerai mieux si je suis traité d'égal à égal.

Un sourire effleura les traits d'Albany.

— Élève Topier, il est hasardeux de gravir les échelons lorsqu'on sait à peine marcher. Il peut arriver des accidents...

Avant que j'eusse le temps de réagir, Albany me poussa dans les eaux-vannes. En touchant le fond, je cherchai mon équilibre. Mal m'en prit. Je glissai et m'étalai de tout mon long. Furieux, je voulus me relever, mais le fond était une véritable patinoire qui me refusait le moindre appui.

Albany riait de mon adresse de pingouin.

— Incruste-toi dans ton nouveau métier pour l'aimer, me nargua-t-il. Si tu y vas toujours sur le bout des doigts, tu ne feras jamais rien de bon.

Quand quelqu'un se noie, c'est bien le temps de le sermonner. Je me débattais, éclaboussant la passerelle à chacun de mes efforts.

— Sais-tu à quoi tu me fais penser ? On dirait un marin qui a perdu ses rames et qui s'obstine à ramer malgré tout. Soly, il faut te rendre à l'évidence : dans les égouts, la vie n'est plus la même.

Albany s'accroupit pour mieux m'observer.

— Tu n'y arriveras jamais si tu t'entêtes à te relever trop vite, à moins que tu tiennes à te saucer plusieurs fois pour prendre ton bain. Un conseil : la prochaine fois, lave-toi avant de venir ici, sinon tu vas salir l'eau des égouts.

Plus il se payait ma tête, plus je rageais, la bouche fermée pour ne pas avaler cette vomissure rejetée par la Ville.

— Quand tu auras fini de patauger comme un gamin, tu le diras. Je n'ai pas juste ça à faire, attendre.

Je parvins à me mettre à quatre pattes, la tête

hors de cette fange. Je me levai avec d'infinies précautions, aveuglé par cette mixture infecte qui dégoulinait sur ma face et mes vêtements. Chancelant, je m'approchai de la passerelle. Comme je l'atteignais, je perdis pied. Albany m'agrippa à temps et me tira sur la passerelle.

— Tu as manqué de loisirs dans ta jeunesse, mon gars, railla Albany. Si j'étais ta mère, je te priverais de dessert pour un bon bout de temps.

Tremblant de colère, je m'épongeai la figure pour chasser les immondices qui restaient.

— Es-tu devenu fou ? reprochai-je, crachant chaque mot pour éloigner de mes lèvres cette senteur écoeurante.

— C'est ce qui arrive à l'employé qui se prend pour le patron.

— Tu mériterais que je te jette dans cette souillure à ton tour. Ce serait à moi de rire.

— Si tu tiens à perdre ton emploi avant même de l'avoir...

Ma colère s'étrangla à l'idée de retomber dans les griffes de Bébert.

— Tu ne m'as toujours pas dit ce que tu entends par « colmater », dis-je, faisant un effort surhumain pour me maîtriser.

— C'est simple. Il s'agit de boucher chaque fissure, soit avec du goudron plastifié, du ciment, du plâtre ou avec certains produits injectés. Tout dépend du genre de trous ou de fissures. Si on ne les répare pas, l'eau fait son chemin et emmène la terre et le gravier. L'égout risque de se bloquer et la chaussée, elle, de s'effondrer, comme c'est arrivé sur Saint-Laurent et sur Sainte-Catherine.

Il se retourna et me dit :

— Arrange-toi pour me suivre et regarde où tu

mets les pieds. Il n'y aura pas toujours quelqu'un pour te dépêtrer.

Quelques minutes plus tard, nous atteignîmes une porte. Albany l'ouvrit et m'invita à monter un escalier sombre où le ciment se dégradait et tombait sur notre passage. Je gravis quelques marches et m'arrêtai en percevant le bruit d'une conversation toute proche.

— Avance, m'ordonna Albany. C'est notre local. Je veux te présenter aux autres de l'équipe.

— Dans cette tenue !

— Je te l'ai déjà dit : entre nous, il n'y a pas de manières.

J'hésitais.

— Avance, bon sang !

Je montai les dernières marches et poussai la porte. Les conversations moururent et les quatre hommes, assis dans ce local exigu et enfumé, me dévisagèrent.

Albany me poussa discrètement dans le dos pour m'obliger à avancer au milieu d'eux.

— Alby, qu'est-ce que qui, à ton poney, t'arrive ? demanda l'un des hommes en cassant son français.

— Oh ! pas grand-chose, Caddy ! Monsieur est un timide. Il a tenu à entrer par la porte de service. Le problème, c'est qu'il n'a pas le pied marin. Alors, je n'ai pu l'empêcher d'aller jouer dans le purin.

Piqué à vif, je fustigeai Alby du regard. Ses compagnons éclatèrent de rire.

Voyant que son gag avait du succès, Alby ajouta :

— Il s'amusait comme un petit fou dans les eaux-vannes et ne voulait plus se relever. Je vous le dis, les gars, si je ne l'avais pas tiré de là, il y serait encore en train de déjeuner.

L'explication fantaisiste décupla leurs rires. Quand l'hilarité eut cessé, Alby redevint sérieux.

— Les gars, je vous présente Soly Topier, notre nouvelle tête de Turc.

S'avançant vers l'un d'eux, il dit :

— Celui-là, c'est Cadmon Pampadrios. Caddy casse le français. Ce n'est pas de sa faute, il n'est pas de la région. Pas vrai, Caddy ?

— C-c-co-com-comment que que que je fais pas m-ma-ma religion ? J'ai... moi, rien dit.

Tous s'esclaffèrent.

— Celui à côté, c'est Jean Fortier. Ça lui arrive de perdre sa langue, mais il a du coeur à l'ouvrage.

Il pointa le troisième égoutier.

— Devant toi, si ce n'est pas le tombeur de ces dames en personne, je ne m'appelle pas Alby. Avec sa moustache, il fait miauler toutes les femelles. Elles l'appellent Reggie, mon petit minou.

— Pour l'impôt, c'est Régimbald Farlouche.

Un nouvel éclat de rire salua cette précision.

— L'avorton dans le coin, c'est Édouard Bolduc. Ted, pour les intimes. Pour nous, Tohu Bohu. C'est fou l'énergie qu'il a pour sa taille. On devrait l'envoyer à la Manic ou à la baie James.

Tohu Bohu bomba le torse et imita le bruit d'un gorille, ce qui nous fit sourire.

— Bon, toi, va donc te décrotter à la buanderie, au bout du corridor, me conseilla Alby. De grâce, change de vêtements et n'aie pas peur de la douche et du savon. Ce n'est pas de l'onguent !

Je les laissai. Cette bande de bons bougres m'acceptait. Quel soulagement !

6

Plusieurs postes étaient disponibles dans les égouts. Lorsque Cloutier m'avait demandé quel secteur je préférais, j'avais choisi le centre de la Ville. Ce choix avait été instinctif. J'espérais que je m'adapterais mieux en travaillant au coeur de Montréal. De cette façon, je serais en meilleure position pour devenir indispensable.

Les premiers jours, mon contact avec les égouts ressembla plutôt à la visite qu'un touriste, d'un genre un peu particulier, aurait fait pour reconnaître les lieux, s'émerveillant, au passage, de certains détails.

Ce qui me frappa, c'est le mot « regard » qui sert à désigner, dans le jargon du métier, les bouches d'égouts. À travers le cercle métallique, j'étais ému de redécouvrir une portion de firmament. En même temps, il était rassurant de compter sur une sortie de secours en cas de danger.

Entre deux regards, je n'osais regarder de trop près certaines découvertes, telle cette panse de vache, grouillante de vers, qu'un boucher peu scrupuleux avait jetée là malgré les règlements sévères de la Ville. Il m'arrivait de patauger dans un liquide rougeâtre ou de piétiner le cadavre d'un chien, d'un chat, d'un rat. Il n'y avait pas que des choses mortes. Dans l'ombre, je remarquais parfois de petits yeux lumineux ; c'étaient ceux de rats qui fuyaient la lumière de la lampe.

Au début, à cause de ma mésaventure avec Alby, j'avais été déçu. Puis je m'étais dit que ce n'était pas de sa faute : dans ce monde souterrain, où le travail était difficile, les hommes étaient plus cruels sans le savoir.

La répulsion naturelle que j'avais ressentie en pénétrant dans les égouts s'estompa vite et je me familiarisai avec les particularités de ce nouvel univers. Je réalisai que les égouts de chaque rue avaient une odeur caractéristique. De cette façon, il devenait impossible de confondre les eaux d'une teinturerie du purin des habitations. Je me fis un point d'honneur de deviner, par l'odorat, le nom de la rue qui était au-dessus et le genre d'activités qui s'y pratiquaient.

Dès lors, l'égout devint pour moi un estomac vaste et intéressant. Juste à l'observer, je soupçonnais ce qui se passait dans chaque édifice. Ma curiosité me permit de découvrir très tôt l'un des secrets de Reggie. Ce don Juan, aux ressources surprenantes, avait installé des grillages à la sortie de quelques résidences. Quand un tampon venait s'y prendre, il savait que telle femme était prête.

Ce fut surtout Alby qui me montra les rudiments du métier de noctambule. Sous son égide, j'appris à apprécier le vulgaire bâton plat dont on se sert pour marcher dans les canalisations étroites. Loin d'être une banale béquille, cet instrument rudimentaire est ce qu'il y a de mieux pour déceler, à travers les eaux-vannes, les défectuosités qui échappent à l'oeil le plus averti. Petit à petit, le bout de bois se transforma en un nouveau membre dont je ne pouvais plus me passer et en un compagnon qui me préservait des dangers.

La confiance que m'inspirait mon bâton ne pouvait malheureusement pas me prémunir contre les orages torrentiels. C'est encore Alby qui m'enseigna à me méfier des sautes d'humeur de Dame Nature. Lors de certains orages, l'eau envahit les égouts à une vitesse vertigineuse. Un homme surpris dans les canalisations est alors entraîné sans recours vers le fleuve.

Le métier d'égoutier, en plus des dangers qu'il comporte, est difficile. Les travaux de nettoyage et les réparations doivent souvent s'effectuer dans des conditions pénibles. À maintes occasions, notre moral est la meilleure des spatules.

Malgré cela, j'appréciai assez vite mon nouveau métier et le dégoût initial s'était transformé en curiosité.

7

Un matin, nous attendîmes Alby en blaguant sur les raisons de son retard.

Alby arriva finalement, les mains vides.

— Qu'as-tu fait du rapport de météo ? s'informa Reggie.

— M... ! jura Alby. J'ai oublié de le prendre.

— L'ingénieur ne sera pas content.

— Pas content, ce n'est rien. Ce saligaud va s'arranger pour qu'on coupe ma paye si j'y retourne.

Par solidarité pour Alby, nous cherchâmes une solution.

— Toi, le marin, tu dois savoir te débrouiller avec la météo sans avoir à consulter leurs satanés pronostics !

Flatté, je fis signe que oui.

— Selon toi, qu'est-ce qu'il va faire aujourd'hui ?

J'hésitai.

— On ne peut pas aller n'importe où dans les égouts s'il y a un risque d'orage, fit remarquer Jean.

C'était une mise en garde déguisée pour m'inviter à la prudence.

— On ne te demande pas de rivaliser avec Dorval ou Mirabel, plaisanta Reggie.

— Si la météo se prédisait par des grillages, on ferait appel à toi, ironisa Alby.

— Justement, celle du numéro quatre est en état de grâce. Une vraie tigresse ! renchérit Reggie.

— Si on base la météo sur elle, le temps sera mauvais et les pluies localisées.

La plaisanterie porta. Je crus qu'on allait m'oublier, mais Tohu Bohu s'en mêla.

— Ne me dis pas qu'un marin n'est pas plus au courant du temps qu'il fera !

Les autres l'approuvèrent.

Pour ne pas paraître trop niais, je prédis un temps nuageux avec risque d'une ondée. En fait, c'est à peine si je me rappelais qu'il y avait des nuages.

— Une ondée !

Je fis signe que oui pour ne pas me dédire.

— Ce n'est sûrement pas ça qui va nous arrêter, affirma Reggie.

— Q-q-qu'est-ce que-e-e j'ai en-coure f-faite ? demanda Caddy, qui n'avait rien compris.

On ne put que lui rire au nez.

— Viens, fainéant, lui dit Tohu Bohu. Tu ne vois pas que c'est toi qui nous retardes ?

Nous descendîmes dans les égouts par équipes de deux. Depuis quelques jours, Alby et moi nous aidions des égoutiers de surface à nettoyer des canalisations étroites et peu profondes.

Chemin faisant, l'air me sembla faire plus d'échos que d'habitude. Je ne soupçonnai pas à ce moment-là ce que signifiait ce changement.

À notre grand mécontentement, l'équipe d'égoutiers n'était pas sur place. Alby eut bien raison de pester contre l'incompétence et l'irresponsabilité des égoutiers de surface. Ces lâches n'ont qu'à se laisser véhiculer jusqu'à leur travail, le cul bien au sec, et ils ne le font même pas. Comme dit Alby, ils ne sont même pas capables de se décrotter les oreilles.

Il existe une grande rivalité entre ceux d'en haut et ceux d'en bas. On s'accuse mutuellement de ne pas travailler de la bonne façon, surtout quand il s'agit de nettoyer les conduites moyennes situées sous les rues secondaires.

Les égoutiers du dimanche, comme nous les appelons, procèdent à tâtons. Ils se servent d'un godet qu'ils promènent d'un regard à l'autre à l'aide de câbles. La première fois, le godet ne fait que décoller la vase du fond. Au retour de l'instrument, ils ouvrent la trappe et la fange se trouve emprisonnée dans ce long tube creux. Ensuite, si on leur fait grâce de ne pas crever leur « serpent », ils n'ont qu'à ramener leur godet à la surface et à le vider dans un baquet. D'autres, plus paresseux, viennent avec des camions munis d'aspirateurs gigantesques qui absorbent tout et rien.

Comme la manoeuvre se fait à l'aveuglette, le travail est souvent mal exécuté. Des canalisations neuves sont endommagées au point qu'elles doivent être réparées. Dans ces conditions, il nous est bien difficile d'éprouver de la sympathie pour ces supposés confrères. Ce n'est pas grâce à eux si des égouts qui ont plus de cent ans ont été conservés en bon état.

On doit reconnaître que leur aide est indispensable pour les conduites trop étroites où nous ne pouvons passer. Encore là, c'est nous qui devons installer les câbles qui promèneront leurs caméras dans ces conduites.

Cette interdépendance pour l'entretien des égouts est limitée. Dans presque toutes les canalisations d'importance, nous sommes rois et maîtres. Que savent-ils, ces bêtas, de l'explosimètre que nous utilisons avant d'entrer dans une canalisation pour détecter la présence de vapeurs dangereuses ? Sans nous, combien d'immeubles, comme à LaSalle et à Rosemont, auraient été soufflés par une explosion ?

Ce matin-là, après les avoir attendus en vain, je

me rendis avec Alby dans un égout voisin. Nous tuâmes le temps en délogeant des stalactites gélatineuses.

Un roulement assourdi et sporadique attira notre attention. Alby me regarda, inquiet.

— Qu'est-ce que c'est ? demandai-je.

— Tout ou rien. Des travaux, un orage ! Comment savoir !

Les bruits continuèrent quelques minutes, puis cessèrent. Une fraîcheur étonnante arriva jusqu'à nous. Alby comprit aussitôt qu'un orage s'abattait sur la Ville.

— Vite ! On n'a pas de temps à perdre.

Alby avait vu juste car bientôt l'eau arriva de partout, nous empêchant de nous sauver à notre aise. Flairant le danger, Alby s'engagea dans une conduite secondaire.

— Tu ne fais pas le test ?

— Si tu penses qu'on a le temps de niaiser !

Penaud, je le suivis dans la canalisation où une senteur désagréable me prit au nez. Un souffle irrésistible nous ramena, tels des boulets de canons, dans l'égout collecteur. Le courant nous entraîna, car nous étions trop étourdis pour résister.

La noirceur était totale. Dans ma demi-conscience, je sentis une masse contre moi. Je l'agrippai et me laissai entraîner par ce torrent démesuré. Parfois, des cris perçaient le grondement, puis cessaient. Les pauvres bêtes, surprises par l'afflux de l'eau, lançaient, à leur façon, des appels de détresse. Dans cette lutte inégale, chacun était seul face à son destin.

Au bout de quelques minutes, je réalisai que la masse qui me servait de bouée était le corps inanimé d'Alby. Je tirai sa tête hors de l'eau et tentai de m'agripper à la paroi avec ma main libre. À chaque tentative, je m'écorchai les doigts.

Mon appréhension se décupla lorsque je distinguai le bruit fracassant d'une grande chute d'eau. De mon bras libre, je battis l'eau avec force. En aval, la chute de cent quinze pieds, au coin des rues Sherbrooke et d'Iberville, nous aspirait déjà, provoquant des remous qui nous projetèrent sur la paroi. Mon épaule heurta un échelon de fer. Malgré la douleur, je m'y accrochai avec l'énergie du désespoir.

Je luttais pour ne pas lâcher prise, les muscles bandés et tordus à se rompre par la danse des remous. Seul, je ne pouvais rien. Pour sauver ma peau, il me fallait le lâcher. De toutes mes forces, je souhaitais qu'il revienne à lui, sinon...

Le courant était si violent que je ne savais pas si Alby bougeait ou si c'était le mouvement de l'eau. Je ne pouvais l'abandonner sans savoir...

— Alby, ça va ? criai-je de toutes mes forces.

Il gémit. Je frémis. Cet espoir décupla mes forces. Je parvins à le rapprocher suffisamment pour qu'il saisisse l'échelon.

L'eau continuait de monter et notre échelon se retrouva sous l'eau. De mon bras droit, j'encerclai le cou d'Alby, qui s'aidait peu, et le hissai jusqu'à l'autre échelon. En battant des jambes, je parvins à poser les pieds sur les barreaux. Je gravis ainsi les autres échelons, hissant Alby avec moi.

L'échelle s'arrêtait sous un couvercle métallique absolument lisse. J'essayai de le soulever ; il ne broncha pas.

Le bruit de la chute était infernal et l'eau montait toujours. Alby commençait à reprendre ses sens, mais il toussait à rendre l'âme.

L'eau atteignit nos épaules et l'air se raréfia, entraîné par le courant. Le débit étant trop fort, l'égout fut pris de grands hoquets. Durant d'interminables secondes, l'eau nous submergea et atteignit le couvercle. Une seule chose comptait : résister jusqu'à l'épuisement.

Par chance, cette immersion totale cessa. Le niveau de l'eau se stabilisa à la hauteur de nos épaules. S'il en avait été autrement, Alby, déjà à moitié noyé, n'aurait pu résister. Puis l'eau baissa. Nous n'étions pas pour autant au bout de nos peines. Transis jusqu'aux os, l'attente qui commençait nous parut vite insupportable.

Avec l'aide d'Alby, j'essayai encore de soulever le couvercle : il refusa de bouger. Alby me toucha l'épaule. Je regardai et ne vis rien.

— Quoi ? criai-je.

— Écoute !

— Écoute quoi ?

— Tu n'entends rien ?

Pauvre Alby, pensai-je, il divague.

— Ne t'en fais pas ! criai-je pour le rassurer. On va s'en sortir.

Pour ne pas le démoraliser, je prêtai l'oreille et poussai l'hypocrisie jusqu'à toucher le couvercle. Quelle ne fut pas ma surprise lorsque je réalisai qu'il bougeait ! Avec l'énergie de l'espoir revenu, je martelai le couvercle et criai, bientôt imité par Alby.

Brusquement, un rai de lumière nous aveugla et le couvercle se renversa.

— Qu'est-ce que vous faites là ? demanda un homme visiblement surpris.

Il nous tendit sa main chaude.

8

Notre négligence nous valut une engueulade en règle et une suspension d'une semaine.

43

Sans les encouragements des autres égoutiers, je crois que j'aurais plaqué cet emploi de taupe. Je remis cette décision à plus tard. Pour m'occuper, je partis à la recherche d'un logement près de mon travail.

Comme je venais d'encaisser à la Caisse populaire voisine ma première paye, amputée de cent vingt dollars au profit d'un pseudo-compte d'épargne à la Caisse d'Économie, truc trouvé par Cloutier pour informatiser le retrait sans attirer l'attention, à condition que je ne mette pas les pieds dans cette caisse (quelqu'un d'autre, j'imagine, usurpait mon identité pour effectuer le retrait), j'étais en mesure de m'offrir autre chose que des repas frugaux et des gîtes d'un soir. Je savourais à l'avance la sécurité que j'y trouverais. En dépit de ma discrétion, un de ces clochards, que je côtoyais pour mes besoins essentiels, pouvait me rapporter à Bébert dans le cas où il n'aurait pas apprécié ma défection. Moins on me verrait, mieux ce serait.

Puisque j'avais le temps, en raison des circonstances, j'explorai les alentours immédiats de mon travail. Je dénichai une chambre dans un grenier. Ce nid, dans les hauteurs, était meublé modestement. Le propriétaire exigea d'être toujours payé deux semaines à l'avance. J'achetai ensuite quelques ustensiles indispensables, des draps et de la nourriture. N'ayant pas assez d'argent pour le payer, je louai un téléviseur noir et blanc d'occasion. Ce compagnon docile serait ma meilleure garantie pour tuer le temps et m'éloigner définitivement de la boisson.

J'étais satisfait de mon installation sommaire. Je renouais avec le goût de la propriété, le calme d'un chez-soi. La chambre serait mon refuge pour échapper à Bébert et à ses amis. Le temps que ma situation se régularise, je limiterais mes sorties au minimum. D'ailleurs, pour me rendre à mon travail, je n'aurais qu'à traverser la rue.

La suspension terminée, je retournai dans les égouts. Un changement s'était produit chez mes camarades. Ils me boudaient, probablement pour mes mauvaises prévisions. J'acceptai cette réprimande muette et essayai de me faire oublier. Si je m'étais confondu en excuses, c'eût été, du même coup, reconnaître mon erreur et donner prise aux reproches qu'ils taisaient.

Je m'acquittais des tâches qu'Alby me confiait. Comme j'étais consciencieux, les autres respectaient mon mutisme. Seul Alby souffrait de ce changement. Accoutumé à plaisanter avec ses aides, il n'hésitait pas à me lancer des pointes, espérant que je retrouverais ma langue.

Nonobstant le travail pas toujours drôle et Alby qui m'avait pris en grippe, je reprenais confiance. L'égout, c'était la vie frugale retrouvée, cette vie simple et dure que je vivais pleinement lorsque j'étais pêcheur, une vie rude qui avait ses moments de fraîcheur.

Cet emploi exigeant était dangereux, je l'avais réalisé lors de l'orage. À partir de ce moment, le goût de la vie m'était revenu. D'avoir lutté pour sauver ma peau prouvait qu'il me restait encore cette soif d'existence qui m'avait permis d'échapper au maelström quand j'étais pêcheur.

Comme jadis, je devais interpréter tout changement, car chaque seconde risquait d'être fatale. En un clin d'oeil, la mer était capable de retourner ma barque; en moins de temps encore, une voûte pouvait m'enterrer ou une explosion me reléguer au royaume des souvenirs.

TROISIÈME CYCLE

1

Il m'arrive une chose bizarre : je m'ennuie de l'homme que j'ai été. Pour m'amuser, moi qui n'écris jamais, j'ai décidé de mettre sur papier mes souvenirs.

Ce retour aux sources m'a procuré une joie si intense, si égoïste, que j'ai acheté des cahiers d'écolier. Tel un gamin qui a découvert le plaisir et qui se masturbe pour le retrouver, j'ai goûté à l'écriture, à la puissance qui sort de mon stylo. Je peux, si je le veux, recommencer une scène autant de fois que cela me plaît, en lui ajoutant tous les détails que je désire.

Par la bille de mon stylo, les événements passés se précipitent sur moi, tellement que j'en oublie que je ne suis plus à Percé, mais dans une chambre, à Montréal. Le lien créé par l'écriture est fragile et le moindre bruit suffit à le couper, me rejetant entre mes quatre murs décrépits où la peinture s'écaille à n'en plus finir.

Pourtant, à volonté, je retrouve mes souvenirs. Je redécouvre, petit à petit, cet homme qu'une certaine rencontre a fait basculer.

2

Chaque soir, depuis trois semaines, j'ai noirci mes cahiers jusqu'à ce que les lettres dansent sous mes yeux, jusqu'à ce que je devienne nerveux, mal à l'aise, plein d'engourdissements dans les doigts tellement j'ai voulu sortir le jus de mon existence.

J'ai retracé de mon mieux, tel un horloger amateur en sueur devant une montre démontée, les minuscules mécanismes de ma vie depuis que j'ai fait la rencontre de Mélina. Ce soir, je n'ai plus rien à me dire, sauf que j'ai des brûlures d'estomac de n'avoir pu me livrer davantage à mes cahiers.

Maintenant que le puzzle est reconstitué, je ne sais plus quoi en faire. Envahi de doutes, je me relis.

Même si je n'écris plus, la sève du passé remonte. D'un cahier à l'autre, je change peu. Ma vie, c'est la marée qui vient et revient, façonnant imperceptiblement mes convictions. Sans doute en va-t-il ainsi de l'Homme. Fondamentalement, il est impuissant à changer sa vie; il ne peut que l'approfondir.

3

Impossible de me relire indéfiniment. Ce qu'il me faut, c'est créer, créer tant que je pourrai, pour ne pas que se brise ce fil d'Ariane qui suinte de mes souvenirs. Le présent me fournira cette sève indispensable, ce présent que je dois creuser froidement, sans pouvoir compter, comme pour le passé, sur les défaillances de la mémoire, ce chirurgien compatissant, pour camoufler ce qu'on ne désire plus.

Jean Fortier est la personne qui retient le plus mon attention actuellement. Ce qui m'attire et m'intrigue chez lui, c'est sa façon de travailler. Il besogne dans les égouts depuis un an. Auparavant, il était chômeur... et cousu de dettes.

A-t-il été emberlificoté lui aussi dans une combine inavouable ? On raconte qu'il a accepté cet emploi pour payer ses créanciers et mettre de côté l'argent nécessaire à un projet... Quel projet ? Personne ne semble le savoir.

4

J'avais gagné. Je travaillais maintenant avec Jean et Caddy me remplaçait auprès d'Alby. La première journée fut moche car Jean restait sur ses gardes. On aurait dit qu'il redoutait une machination. Pourtant, avant de me quitter, il me dit :

— À demain !

Dans le ton de sa voix, je devinai un geste de bienvenue. À moins que ce ne fût pure politesse !

Les jours suivants, j'essayai de lui tirer les vers du nez. Il n'eut que des réponses évasives.

Un soir, avant de me quitter, il me proposa d'aller chez lui. Je refusai. Comme un coup de foudre, je vis Bébert m'attendant au coin de la rue.

— Toi, pourquoi ne viendrais-tu pas chez moi ? lui proposai-je.

Surpris et mal à l'aise, il répondit :

— Ce n'était pas pour me faire inviter...

— Je t'assure... Cela me ferait plaisir.

— Si c'est comme ça, je veux bien.

En arrivant dans mon grenier, je me mordis les pouces : je n'avais pas la moindre boisson pour nous délier la langue.

Depuis que j'avais accepté le poste offert par Cloutier, j'avais pris très au sérieux sa menace de me congédier s'il me trouvait en état d'ébriété. En quelques jours, mon envie de boire s'était évanouie aussi vite qu'elle était apparue. Sur ce point, au moins, j'étais redevenu l'homme d'antan.

J'ouvris une boîte de carton à moitié déchirée où je savais trouver une bouteille vide, que je lui montrai en faisant la moue. Je simulai une fouille en règle de mes maigres effets, lançant des jurons humoristiques contre mon désordre, qui m'arrangeait dans le fond.

— C'est bête ! C'est moi qui t'invite et je ne trouve plus ma bouteille de Québérac.

— Avoir su... je serais venu quand même, plaisanta-t-il.

J'entrepris une seconde inspection.

— Laisse faire, m'ordonna-t-il.

J'étais très mal à l'aise. Avait-il deviné ?

— Et ma bouteille de vin ?

— Laisse-la vieillir. Elle sera meilleure la prochaine fois... Tout ce que je veux, c'est te parler.

— Me parler ?

Le spectre de Bébert et de ses machinations passa en trombe dans mon esprit. Lui ?

— C'est plate, seul, entre quatre murs. Depuis qu'on t'a engagé, je t'observe...

— Tu m'observes ? demandai-je, indigné et sur mes gardes.

— C'est une façon de parler...

Une façon de parler ! Si c'était un salaud qui cachait bien son jeu...

— Tu connais Bébert ? demandai-je à brûle-pourpoint.

— Bébert ? C'est qui ce gars-là ?

Jouait-il à l'innocent ?

— Albert Sauvé, de son vrai nom, mais il y en a qui l'appellent Bébert le Temporaire.

— Même avec un nom pareil, je ne le connais pas. Qu'est-ce qu'il fait dans la vie ?

J'étais pris au jeu. Il me fallait inventer une réponse plausible.

— À peu près tout... et rien.

— Ah !

Il avait deviné l'esquive. Pourtant, au risque de me rendre plus ridicule, je lui demandai :

— Tu ne connaîtrais pas Jacques Michaud, dit Coco Michou ?

— Non, avoua-t-il après avoir fouillé ses souvenirs par politesse. Qui sont ces hommes ?

Sa question me mit tellement dans l'embarras que je n'eus pas le temps d'inventer.

— Je me mêle peut-être de ce qui ne me regarde pas, tempéra-t-il. Si tu n'as pas envie de m'en parler, ne te gêne pas.

— Une autre fois, disons... Tu semblais vouloir me voir pour une raison précise et j'ai cru...

— Moi ?

Jean pouffa de rire.

— Mon pauvre Soly ! Te faut-il cinquante-six raisons pour parler à quelqu'un que tu trouves sympathique, meilleur que les autres ?

— Meilleur ? C'est un bien grand mot que je ne mérite pas.

— Mais si ! mais si ! C'est même surprenant qu'un gars comme toi fasse ce métier de bête puante. Qu'est-ce qui t'a poussé à devenir égoutier ?

Jean jouait-il au fin renard pour me tirer les vers du nez à son tour ?

— Quelle différence que je sois égoutier, avocat ou bandit ?

— On ne parle pas de la même façon à un gars qui choisit librement et à un autre qui ne peut faire autrement.

— J'ai pris cet emploi pour me protéger.

— Te protéger ?

— J'avais besoin d'argent. Un gars qui n'a pas d'argent, il faut qu'il vive comme un autre. Et pour vivre, il n'y a pas que des propositions honnêtes. J'ai été marin, j'ai connu la liberté. Un gars qui a connu la liberté, il ferait n'importe quoi pour ne pas la perdre, il serait même égoutier.

Jean m'écoutait sans rien dire. Voulait-il éviter de briser le fil des confessions que je ne tarderais pas à lui faire ? Quelqu'un qui sait écouter reçoit beaucoup plus de confidences, son silence même inspirant confiance.

— Depuis un mois, je me promenais dans Montréal sans savoir où j'allais et je me foutais de tout. Une nuit, un homme, que je détestais jusqu'aux tripes, m'a ramassé complètement paf et m'a promis de me donner des compagnons qui sauraient me comprendre.

Je fixai Jean, l'invitant à lire entre les lignes, à deviner ce que je n'osais avouer.

— Une chose est sûre : j'ai cessé de boire comme un trou. Pendant quelque temps, j'ai eu de l'admiration pour ces parasites, peu chatouilleux avec les conventions et qui savent comment les manipuler. Si tu ne te permets rien d'irrégulier, tu crèves. Par contre, en acceptant leurs trucs, tu t'embarques jusqu'au cou et les combines sentent tellement la charogne que tu deviens gênant à ton tour, si bien qu'il faut... Je me demande pourquoi je t'ennuie avec ça.

— Au contraire, au contraire, cela m'intéresse. J'ai failli me faire avoir, moi aussi.

— Dans ce cas, tu comprends que je n'ai pas pris le temps de humer la soupe chaude. J'ai voulu un emploi, n'importe lequel, pour ne plus dépendre de leurs combines. Un pêcheur qui a des créanciers peut toujours aller à la pêche pour se faire un peu d'argent. Ici, tout est contrôlé, pesé, recontrôlé, repesé. Pour le moindre trente sous, tu dépends toujours de quelqu'un.

Un sourire illumina le visage de Jean.

— Moi aussi, je suis passé par là. Je devais de l'argent à quelqu'un. Pas beaucoup au début. L'intérêt était si haut que le montant a doublé en moins de deux mois : quelque chose comme un pour cent cumulatif par jour. J'avais le choix entre les combines et l'homme de main qui voulait me découper en bâtons d'allumettes. Par chance, j'ai déniché cet emploi. Ça fait déjà un an... Un an de trop que je moisis ici.

Jean, je le devinai, ne disait pas tout. J'attendis, écoutant le mouvement stressant des automobiles. Cette suite d'à-coups brusques, auxquels se mêlaient le concert des klaxons et le crissement des pneus sur l'asphalte huilée de toutes sortes de déchets réduits en charpie, était orchestrée, à intervalles réguliers, par les feux de circulation, véritable influx nerveux qui poussait dans les veines de la Ville le flot impétueux des véhicules, faisant battre son coeur dans les voiles bleutés du monoxyde de carbone. À essayer de réfléchir dans une telle ambiance, on ne pouvait, tôt ou tard, qu'avoir des idées bizarres.

Depuis quelques minutes, Jean ne parlait plus. À moitié perdu dans ses réflexions, il examinait mon appartement, sans vraiment lui porter attention.

— Dis donc, Jean, est-ce vrai ce que m'a dit Alby ?
— Quoi ?
— Que tu prépares quelque chose...

Ma question le laissa bouche bée.

— Ton projet m'intéresse. Moi aussi, j'aime échafauder des projets.

Jean me regardait et ne disait rien. Le seul nom d'Alby l'avait mis sur ses gardes.

— Veux-tu, on en reparlera une autre fois, concédat-il. J'ai sommeil et avec ce qu'on a à trimer demain, vaudrait mieux dormir.

Déjà il se levait. Je n'insistai pas.

5

Toute la journée, Jean se comporta comme si nous ne nous étions pas rencontrés. C'était décevant. Pourtant je ne devais pas me formaliser. L'important, c'était d'être à l'aise dans le métier qu'on avait choisi. Si on réussissait à glaner des amitiés, tant mieux.

À cette époque-là, le débit dans les égouts était faible, sauf quand il y avait une averse. Ces coups d'eau ne suffisaient pas, de sorte que le limon s'accumulait, rétrécissant les canalisations comme de vieilles artères. Nous passions le plus clair de notre temps à déloger tout ce qui collait.

Ce ratissage en règle me familiarisait avec les recoins de notre secteur. Et il y en avait ! Avec les années, les canalisations s'enchevêtraient et des incohérences de toutes sortes voyaient le jour. Entre autres, les bouches d'égouts. J'en avais trouvé une qui était placée dans un sous-sol. L'édifice avait probablement été construit plus tard. Le contremaître n'avait sans doute pas jugé bon de la déplacer. Économie ou toilette bon marché ?

C'était Reggie qui se débrouillait le mieux dans ce fouillis, car il y trouvait son profit. Un jour, ce fut plus drôle que jamais. Notre Casanova des profondeurs avait repéré une de ces petites mères à ne pas laisser solitaire. Le seul moyen d'installer son grillage-calendrier était de se faufiler sur cent pieds dans une canalisation d'à peine quinze pouces.

— Es-tu sûr que c'est la bonne sortie d'hormones ? railla Alby.

— Pour ça, fie-toi à mon flair.

Rampant comme une couleuvre, Reggie s'était engagé dans l'étroite ouverture, à cheval sur le filet de purin. On avait attendu, lui lançant les pires insanités. Soudain le débit avait augmenté et on avait entendu faiblement son jargon. Ne sachant pas ce qui se passait, notre humour, si on pouvait l'appeler ainsi, s'en était trouvé augmenté, du moins jusqu'à ce que des gargouillements nous intriguent. Et qu'est-ce qui nous arriva comme un bouchon ? Reggie refoulé par le jus et à moitié étouffé.

— Tu as posé ton grillage ? s'informa Alby lorsque Reggie eut repris ses sens.

— Non.

Il jura et cracha.

— C'est à croire que les femmes se sont donné le mot pour envoyer leur eau de lessive en même temps.

— Tu vas y retourner ?

— Pas question.

— La chanceuse !

— Dis plutôt qu'elle ne sait pas ce qu'elle rate.

6

Puisque Jean me refusait son amitié, je me consacrais fébrilement à mon ouvrage. Quand le soir arrivait, j'étais vidé. Fait curieux, je dormais de mieux en mieux.

Je ne comprenais pas ces jeunes loqueteux qui erraient dans la Ville, passant leurs journées, dans les escaliers et les parcs, à regarder voler les mouches. Ils n'avaient même plus le courage de rêver, préférant toutes sortes de drogues pour se mettre en orbite sans effort. Je me demandais comment ils faisaient pour dormir le soir. Moi, je n'avais qu'à m'étendre. J'avais à peine le temps de savourer le confort que le repos apporte à mon corps que déjà je sommeillais.

À Trois-Rivières, mes emplois instables me démoralisaient. Ici, c'était le contraire. Avec les jours, je prenais de l'assurance. J'étais un seigneur qui découvrait les ressources de son territoire et qui apprenait à les maîtriser, un seigneur qui devenait indispensable dans son domaine.

De même que le fumier permet aux fraisiers de croître, de même le fait d'écurer et d'entretenir les canalisations me permettait de comprendre le fonctionnement fragile, mais combien essentiel, des entrailles de la Ville.

Ah ! ces fraises de Percé, plus on s'en occupait, plus on les engraissait, plus elles étaient pulpeuses, juteuses et savoureuses !

QUATRIÈME CYCLE

1

Jean m'a mis au courant de son projet de voyage dans une île du sud, San Felicidad, dès qu'il aura accumulé l'argent nécessaire. Il souhaiterait que je l'accompagne dans ce paradis habité par quelques indigènes. Selon les renseignements qu'il a dénichés, il y fait chaud à l'année et on y vit avec moins que rien, cueillant les fruits sauvages selon les besoins de notre appétit. Les plages immenses, de sable blanc, sont bordées de grands palmiers majestueux. Les ruisseaux qui se faufilent dans la végétation luxuriante sont si clairs que les étoiles s'y baignent la nuit venue.

Parce que son projet m'a fait peur, Jean m'a associé aux chômeurs qui déparent la Ville. À leur image, je crains de partir, de quitter ma misère. À l'entendre, les jeunes dans les écoles sont des vieillards dans l'âme qui ne savent plus voyager, sauf par les chimères de la drogue.

Je l'ai nargué en lui démontrant que son projet est insensé car il se prive au profit d'un espoir incertain. Si ce n'est pas normal, comme je le prétends, que penser de tous ces Québécois qui se privent de deux, de cinq, de dix dollars avec l'espoir de remporter un jour l'un des gros lots de la loterie provinciale ? a-t-il rétorqué. Suivant mon idée, l'espoir est une belle femme que l'on courtise.

Un jour, on réalise qu'on est au bout du rouleau, trop vieux pour lui plaire.

2

Chaque fois que je travaille dans les égouts, j'observe ce qui m'entoure et j'essaie de comprendre pourquoi, brusquement, j'ai réalisé que le réseau d'égouts est conçu comme un vaste organe aussi essentiel à la Ville que les intestins le sont à l'homme. Lorsque les intestins, ou les égouts, cessent de fonctionner, c'est l'asphyxie et l'empoisonnement qui nous guettent. Il n'y a rien de plus désagréable qu'une conduite bloquée, les odeurs emprisonnées devenant vite insupportables.

J'ai confié à Jean cette association qui me préoccupe entre le corps humain et le réseau d'égouts. Il ne l'a pas niée mais l'a jugée sordide. Pour lui, c'est une lubie. Il m'a comparé à quelqu'un qui, un soir d'ennui, trouve une punaise et la fait tourner pendant des heures, sur sa carapace, comme une toupie. Si le type recommence tous les jours, on l'enferme. De même, si une idée nous trotte constamment dans la tête, elle empoisonne nos relations et déforme nos contacts avec les objets qui nous entourent. Dans la vie, tout est une question de dosage.

Je suis en désaccord avec Jean. À mon avis, même le travail le plus rebutant n'est pas inutile et ne rend pas celui qui l'exécute idiot. Il s'agit d'en découvrir l'aspect qui le valorise. Pour mon ami, le salaire qu'on retire devrait suffire à nous motiver puisque l'argent gagné permet de monnayer des compensations. Le voyage qu'il projette à San Felicidad en est justement une qui lui suffit.

Quand je laisse mon ouvrage pour l'univers bruyant de la Ville, je me sens dans la peau d'un chimiste qui quitte son laboratoire et ses expériences en cours. Sans lui, les éprouvettes ne sont qu'un amas de verre et de liquide.

3

Un soir, en revenant, je trouvai la porte de ma chambre entrebâillée. La vue du cadre endommagé me donna un choc. Je battis rapidement en retraite au cas où un émissaire de Bébert aurait été tapi dans l'ombre pour me régler mon compte, comme l'avait insinué Coco.

Le concierge, que j'avais dérangé pendant son repas, me précéda en maugréant contre le manque de civisme des malfaiteurs qui s'attaquent même aux pauvres. Quand il arriva à ma chambre, je restai en retrait, prêt à déguerpir si la situation se corsait. Aucun homme de main n'étant caché, je le rejoignis. Un joyeux désordre me secoua les tripes. On n'y était pas allé avec le dos de la cuillère. Ce qui me piqua le plus, ce fut l'écran fracassé du téléviseur.

— Un beau saccage ! se plaignit le concierge. Vous avez des assurances ?

À mon air, il comprit que non.

— Dans ce cas, je regrette, mais il faudra payer les dommages. Je me charge d'avertir la police et de demander un menuisier pour réparer le cadre. Comme de coutume, personne n'aura rien vu ni entendu. Faites un peu de ménage en attendant.

Mes cahiers, heureusement intacts, étaient éparpillés sur le sol. Je les rassemblai, lisant des passages au hasard. Je tombai ⌐ ' le paragraphe où j'avais noté qu'une bouche d'égout aboutissait au sous-sol d'un édifice.

Ignorant l'heure tardive, je courus à cette bâtisse. C'était une maison de chambres ! Comment décrire ma joie ? Surtout qu'il y avait une chambre libre au dernier étage. Malgré mon dépôt de deux semaines pour celle que j'occupais, je louai. L'argent que je perdrais ? Ce n'était rien. Je n'en avais pas besoin puisque, dans le fond, je ne voulais pas aller à San Felicidad. Jean n'avait pas besoin de le savoir.

Tant qu'à me lancer dans les dépenses, je louai le lendemain un nouveau téléviseur, payai les dégâts au propriétaire et les frais du menuisier. À court d'argent, je fis des chèques postdatés sur mon compte à la Caisse populaire.

4

Jean n'était pas content, moi je flottais. Je ne serais plus à la merci d'une rencontre inattendue en allant à mon travail. Je ne me faisais pas d'illusions suite à ce qui était arrivé à ma chambre précédente. Je ne croyais pas au vandalisme gratuit. En l'absence d'indices, j'étais persuadé qu'il s'agissait d'une mise en garde ou d'une vengeance de Bébert et de ses amis. De simples voleurs auraient subtilisé le téléviseur.

Jean n'était pas content du tout. Avec cet argent perdu... Le pauvre ne soupçonnait heureusement pas que j'avais hypothéqué mon salaire pour effacer les traces du vandalisme. Dans le but de le calmer et de lui faire croire que je partageais toujours son projet, je le chargeai, à l'avenir, de m'acheter ce dont j'aurais besoin et d'effectuer mes transactions à la caisse. De cette façon, prétendis-je, je ne gaspillerais plus mon argent puisque nous serions deux pour contrôler mes dépenses. Il avait accepté de me rendre service, mais il était loin d'être d'accord avec ma résolution de ne plus sortir.

La seule faille dans mon système viendrait lorsqu'il constaterait le virement à la Caisse d'Économie. Je prétendrais un emprunt à rembourser. S'il insistait trop pour en connaître la nature, j'aviserais selon les circonstances.

5

Trois étages ! C'était tout ce qui me séparait, après entente avec le propriétaire, de la bouche d'égout conduisant à mon travail. J'étais libéré du coup du monde interlope où frayaient Bébert et ses amis. Puisque je n'avais plus à sortir, je ne risquais guère de les rencontrer. Décidément, je manoeuvrais de mieux en mieux pour me tirer de cette impasse.

Ce répit fut éphémère. Quelques jours plus tard, je retrouvai ma chambre en désordre. Rien n'avait été brisé, ce qui me soulagea. Avec l'argent que je devais, mon salaire n'aurait pas suffi à rembourser. Cette fois, un gros SALAUD ! écrit à la craie déparait un des murs.

Salaud, moi ! Pourquoi ? Je les avais quittés sans dénoncer personne. Que désiraient-ils de plus ?

Étais-je en train de délirer ? Sans m'en rendre compte, je leur attribuais peut-être tout ce qui arrivait de louche. Je n'étais pas le premier à subir un cambriolage. La mafia ne pouvait se trouver derrière tant de crimes. N'étais-je pas plutôt victime d'un locataire au nez trop fin qui n'avait pas supporté la senteur que je trimballais avec moi au retour de mon ouvrage ? Comment savoir ?

Je m'étais trompé ; mes précautions s'avéraient insuffisantes. Il y avait trois étages de trop, ces trois étages qui me séparaient de la sécurité puisqu'un locataire croisé dans le corridor ou l'escalier pouvait leur servir d'indicateur.

6

Le propriétaire fut stupéfait. M'installer dans sa cave ! Il me prit pour un cinglé. J'insistai, démontrant que l'arrangement serait à son avantage : une nouvelle source de revenus et la disparition des plaintes possibles des locataires au sujet d'une certaine odeur que je traînais sur les étages. Malgré sa crainte d'ennuis avec la Ville, il céda et promit de meubler une pièce.

Quelques années plus tôt, le propriétaire avait eu l'idée d'aménager le sous-sol pour disposer de deux nouveaux appartements à louer. Comme l'autorisation de la Ville tardait, il avait pris l'initiative de commencer les travaux.

Pour camoufler l'absence de fenêtres, il avait recouvert les fondations de briques rustiques rouges, dont le mortier écrasé coulait abondamment par les joints, procurant à l'oeil une impression de chaleur. Des divisions avaient été faites avec des deux par quatre et on avait commencé à poser des feuilles de plâtre. Au plafond, pour cacher les poutres, du contre-plaqué de noyer avait été installé, mais ce matériau aurait produit un meilleur effet sur un pan de mur.

La Ville avait finalement refusé. Pour être en règle, il aurait été obligé de déplacer la bouche d'égout à ses frais, de percer des fenêtres à travers le béton et d'installer un système de ventilation adéquat. Autant dire qu'il aurait mangé ses profits pour plusieurs années, sans être sûr de louer. Découragé, il avait arrêté les travaux.

Depuis, quelques feuilles de contre-plaqué avaient été enlevées pour servir à des réparations ailleurs et deux pièces avaient été transformées en salles de débarras.

7

Mon premier souci fut d'explorer le sous-sol, m'étant contenté auparavant d'y passer en coup de vent. Trop heureux d'avoir gagné mon point, il ne me vint pas à l'idée, à cause de l'absence de fenêtres, que ma vie serait celle d'un véritable cloîtré.

Je ne portai guère attention aux nombreuses toiles d'araignées, sauf lorsque je dus les écarter de ma figure. En marchant dans tous les sens, tant mon contentement était grand, je levai ces barrières ridicules, semant la débandade chez les vieilles couturières du sous-sol. Je pénétrais dans un sanctuaire, un sanctuaire qui m'attendait.

Le retour du propriétaire me surprit, n'ayant guère cru, il me faut l'avouer, à sa promesse de meubler.

— Il va falloir que tu me signes cette feuille.

Il me la tendit.

— C'est juste pour nous éviter des problèmes. Tu comprends, je n'ai pas le droit de te louer. Si je le fais, c'est pour te rendre service. En échange, tu signes que c'est toi qui me l'as demandé, que tu es satisfait et que tu t'engages à ne pas porter plainte.

Je lus le document. Il me parut correct. Je signai.

— Maintenant, viens, on va aller voir ce qu'on pourrait te trouver.

En fouillant dans les salles de débarras, j'héritai d'une tête de lit en cuivre, d'un sommier courbaturé, de deux matelas creusés, de deux commodes en pin auxquelles il manquait les poignées, de vieilles chaises boiteuses et empoussiérées, d'une table, d'un vieux bureau d'écolier qui me rappelait celui que j'avais à la petite école de Percé. On trouva aussi une cuisinière électrique dont deux des éléments fonctionnaient et un réfrigérateur qui donnait plus de chaleur que de froid. En guise de salle de bains, j'avais un évier et des toilettes. Si je désirais d'autres meubles, je n'aurais qu'à fouiller.

La joie me donnait des ailes. Meublé et si près de mon travail ! Il me fallait montrer ma trouvaille à quelqu'un.

8

— Comme tu vois, ce n'est pas mal.

Jean hocha la tête.

— C'est un règlement stupide de la Ville qui a empêché le propriétaire de le transformer en logement. Moi, ça ne me fait pas peur de rester dans un sous-sol.

— Mais il n'y a pas de fenêtres ! protesta Jean.

— Qu'est-ce qu'il y aurait à voir à part de vieilles bâtisses sales, l'asphalte troué et le ciment du trottoir qui s'effrite ?

— Ce n'est pas ce que tu pourrais voir qui est important !

— Quoi alors ?

— Seuls les rats vivent dans des trous où il n'y a pas de lumière.

— Ce n'est pas ma faute si l'Hydro-Québec ne leur a pas installé l'électricité.

— Qu'est-ce que cela te donne de plus de vivre ici ?

— Je me sens plus près de mon travail.

— À qui le dis-tu ! railla-t-il.

Dans les écoles, on remplace les fenêtres par des murs pour que les étudiants soient moins distraits et s'occupent davantage de leurs études. Moi aussi, c'était ce qui me manquait. À Percé, je n'avais qu'à ouvrir la porte pour respirer l'air de la mer et déjà j'avais envie de me mettre à l'ouvrage. Ici, ce serait la même chose : je n'aurais qu'à ouvrir la bouche d'égout pour me sentir prêt. Ce sont les gens qui se font des idées. Rien n'est mauvais en soi. Comme l'affirmait Alby, il est nécessaire de passer par-dessus notre dédain pour voir le bon côté des choses.

— Tu m'inquiètes, murmura Jean en baissant la tête. Tu ne sais plus distinguer ce qui est bon de ce qui ne l'est pas.

— Qu'est-ce que tu me reproches ? dis-je sèchement.

— Tout. J'ignore ce qui te gruge le cerveau.

Je le fixai droit dans les yeux. J'étais incapable de lui avouer que c'était la peur.

— Dis-moi franchement, suis-je changé ?

Jean fut embarrassé.

— Il ne faut pas attendre que tu le sois.

— Vas-y. Dis-le. Suis-je changé ?

— Je ne suis pas psychologue.

Il ne désirait visiblement pas continuer la conversation sur cette voie.

— Que fais-tu de notre projet ? me demanda-t-il à brûle-pourpoint.

— J'y pense, j'y pense. S'il se réalise, tant mieux, sinon je n'en mourrai pas.

— Dis plutôt que tu flambes joyeusement ton argent depuis deux semaines. Changer de logement, ça coûte cher.

— Alors, là, tu te trompes. En m'installant ici, mon loyer baisse...

— De combien ? coupa Jean.

— De cinq dollars par semaine.

Pour toute réponse, il pointa son index sur sa tempe et me regarda avec une tendresse douloureuse.

9

Passant outre aux deux panneaux qui ont été enlevés, laissant apparaître les poutres transversales du plafond, j'ai installé mon lit dans la pièce où se trouve la bouche d'égout. De cette façon, le matin, après un brin de toilette, je n'ai qu'à soulever le couvercle pour être en contact avec mon travail. Je descends quelques échelons rouillés, grinçant sous mon poids, pour atteindre une petite passerelle qui surplombe les eaux-vannes. Elle me conduit à une étroite corniche, gluante et ébréchée en maints endroits, qui longe la paroi suintante d'humidité. Un faux pas et je plonge dans le purin jusqu'au cou. Ce danger ne m'effraie nullement car les lieux me sont familiers. Je suis autant chez moi qu'un fermier qui nettoie sa porcherie ou son poulailler. Plus je serai consciencieux, meilleur sera le rendement de ces tripes immenses qui battent au rythme de la Ville.

Malgré tout le soin que j'y mets, je suis inquiet des perturbations que causent les égoutiers de surface. Ces beaux niais, dans leurs camions blancs, circulent dans la Ville, soulèvent des couvercles et aspirent, à l'aveuglette, les détritus accumulés au fond des puits. Souvent, le brassage refoule cette pâte dans l'embranchement d'évacuation du trop-plein où, pas assez liquide, elle sèche sur place, bloquant le passage. Naturellement, lorsque le puits déborde, on ne trouve rien de mieux que de nous envoyer réparer les dégâts des autres.

C'est dire qu'il existe une forte rivalité entre mes compagnons et les « fonctionnaires de la saleté », comme dit Alby. Avec les manettes de leurs mastodontes blancs, ils ne touchent à la fange que du bout de leurs boyaux, ou ce qui en reste. En effet, certains de mes compagnons, quand ils en ont la chance, tailladent leurs boyaux ou y introduisent un objet qui enraie le mécanisme. En haut, ils n'apprécient pas toujours notre coopération et leur langage a la couleur du purin qu'ils remontent. D'autres, plus mesquins, actionnent la pompe à l'envers et nous arrosent si nous ne sommes pas assez méfiants.

Suite à ces affrontements, il arrive que l'écoulement des eaux-vannes d'une section soit perturbé. Très vite, les bouches de ce secteur gargouillent, laissant échapper les gaz accumulés dans les intestins de la Ville.

Lorsque je me rends sur les lieux du désastre, j'en ai les larmes aux yeux. Mettre les égouts dans un si piteux état ! Je m'empresse de déloger les détritus séchés. L'odeur qui s'échappe de la fange liquide me grise. Parfois la senteur des effluves est trop forte. Une violente toux m'embue alors les yeux, m'obligeant à m'immobiliser.

CINQUIÈME CYCLE

1

Les fréquentes pluies d'automne gonflent les eaux-vannes, arrachant les scories accumulées au cours de l'été. L'humidité glauque engendre des bourgeons de graisse sur les parois vermoulues. Nourries par cette surabondance d'eau, des stalactites gélatineuses croissent à une vitesse vertigineuse. Une paroi, débarrassée de ces sangsues de graisse par un jet d'eau puissant, se retrouve couverte d'une moisson aux formes insolites dès le lendemain.

Cette végétation, aux couleurs ternes, se propage comme la gangrène. Incessamment, nous délogeons ces glaçons visqueux, aux formes rebutantes, qui naissent du contact de l'humidité avec la matière grasse des parois. Sans notre intervention, ces accumulations grotesques risqueraient de se transformer en foyers nauséabonds où les bactéries pulluleraient. Il pourrait s'ensuivre des épidémies, menaçant la santé de la Ville.

Ce foisonnement universel s'attaque aux parois. Affaiblies par l'humidité et grugées par le ruissellement, elles s'émiettent ou tombent par plaques dans le fond des canalisations. Chaque plouf ! est une plainte sourde qui nous appelle au chevet du malade.

2

Une fraîcheur étonnante, due aux précipitations automnales, a envahi les égouts, purifiant l'air des puanteurs accumulées durant l'été. Le suintement sur les parois s'est transformé en petites chutes, l'eau infiltrée dans le sol se cherchant une issue. Les canalisations, par les joints et les fissures, deviennent le déversoir idéal. Sous la pression du liquide, les parois crèvent de toutes parts, la Nature perçant les boyaux du Géant.

Ces semaines de pluies abondantes sont un vrai cauchemar. Pour boucher de toute urgence les brèches les plus larges, nous pataugeons dans le débit en crue, à la merci des morceaux de parois qui peuvent se détacher à tout moment. Pires encore sont les innombrables gouttes d'eau qui s'échappent du plafond. Cette drôle d'averse souterraine tombe sur notre casque, dégouline sur nos tempes et s'infiltre dans nos vêtements par l'ouverture du cou. Notre menton ressemble vite à un robinet mal fermé et notre cou à une ravine insaisissable qui nous glace jusqu'aux os. Des taches de rouille apparaissent sur nos vêtements et une insoutenable senteur de moisissure nous colle à la peau. Faisant fi de la situation, mes compagnons sont plus taquins que jamais, un vent de folie guidant leurs gestes.

Cette période traumatisante, m'assure-t-on, dure généralement de deux à trois semaines et prend fin avec les premières gelées. Dès lors, le débit diminue, les égouts se recroquevillant pour affronter l'hiver qui, déjà, la nuit, s'installe. La vapeur chaude des égouts s'exhale paresseusement jusqu'aux premières neiges. Celles-ci fondent partiellement et une couche de glace se forme dans les grillages, les bouchant petit à petit. Cette opération terminée, la température remontera dans le réseau désormais scellé et le rythme de vie redeviendra normal.

Ces modifications me consternent. L'été, le débit grossissait à la suite d'un violent orage, mais jamais les parois n'étaient atteintes, l'eau ruisselant sur le fond des canalisations sans suinter de partout. Que signifient ces changements ? Notre travail aurait-il été vain ?

J'aurais travaillé pour rien... travaillé pour travailler.

3

Je commence à comprendre ce qui se passe. La Ville fait peau neuve. Un cycle est fini et Elle tente d'extirper de ses pores tous les déchets que les mois ont accumulés. Cette décrépitude apparente est en fait un effort farouche du Géant pour se libérer de sa torpeur.

Ce réveil revêt une importance vitale. Ayant percé ce mystère, je travaille comme un forcené, sans être abruti par la tâche colossale qui nous submerge. Les autres, à mon grand étonnement, ont réalisé, dans leur simplicité quotidienne, l'ampleur de ce qui se passe. Leur folie traduit leur joie de participer à cette mutation qui sort de l'ordinaire.

4

L'exubérance de Tohu Bohu décroissait au rythme du débit. L'humour bouillant et acerbe de Reggie redevenait plus discret, puisqu'il réussissait de nouveau, souvent à notre insu, à inspecter ses calendriers pour planifier ses aventures galantes. Qu'est-ce qu'une femme saurait refuser à ce charmeur qui avait le don de proposer au bon moment ?

Jean et moi n'étions pas seuls à travailler comme de beaux diables. Les autres égoutiers, que j'avais presque oubliés dans le train-train quotidien, s'étaient montrés solidaires pour traverser cette période difficile. Caddy, le Grec, avait maugréé sans arrêt, menaçant de retourner dans son pays par le prochain bateau, ce qui était se lamenter pour se lamenter, car il préférait courtiser la bouteille au lieu de ramasser l'argent nécessaire à son voyage dont il n'avait, dans le fond, nulle envie. Quant à Reggie, son humour mordant, qui nous rapprochait pourtant, avait été le résultat de son jeûne forcé : ses calendriers avaient été inaccessibles et il n'était pas parvenu à se départir de cette senteur infecte qui aurait rebuté même une bête puante.

La situation ayant maintenant changé, chacun était retourné à ses préoccupations habituelles.

5

Ce matin, Jean s'arrêta de travailler, pesa ses mots, puis me dit :

— Soly, je ne sais pas si tu es au courant...

Je levai la tête, piqué par la curiosité.

— Le grand patron m'a averti que nous passions notre dernière semaine ici, à moins de réparations urgentes.

Beau niais que j'étais ! Moi qui croyais que notre travail irait sur des roulettes, maintenant que le débit était régulier.

— Qu'est-ce qui arrive ? bredouillai-je.

— Notre stage est fini.

— On ne m'en a rien dit, avouai-je, sidéré à l'idée de quitter les égouts.

— C'est la même chose chaque année.

— On ne reviendra plus ?

— Pas avant le printemps.

— Qu'est-ce que je vais devenir ?

— Si tu le désires, tu peux venir travailler dans les égouts centraux, ceux qui passent sous chacun des secteurs. Depuis deux ans, c'est notre équipe qui est chargée des grands égouts du centre de la Ville. Les autres équipes s'occupent des grands égouts de chacun des quartiers. Ceux qui ne descendent pas au « sous-sol » sont chargés de dégager les bornes-fontaines après chaque bordée. Sinon, c'est l'assurance-chômage. Les autres descendent cette année. Toi, es-tu intéressé ?

— La question ne se pose même pas, c'est oui, dis-je, soulagé. Toi ?

— J'y vais. C'est mieux payé et on n'a pas les éboueurs de surface sur le dos. Tu verras, ça soulage...

Jean gaspillait sa salive : je ne l'écoutais plus. Je me remettais plutôt de la sacrée frousse que j'avais eue de perdre mon emploi. Déjà, je m'imaginais ce qu'étaient les grands égouts, ces égouts mystérieux et fantastiques que seuls les initiés connaissaient.

En rendant visite à Cloutier pour officialiser ma décision de travailler dans les grands égouts, j'abordai la retenue sur mon salaire, la période de six mois étant depuis longtemps terminée. Je m'étonnai qu'il n'eût pas mis fin à cette coupure. Cloutier le prit mal. Si les paiements cessaient, ceux qui en bénéficiaient se chargeraient de me faire perdre mon emploi en moins de deux. Il argua que j'avais de la chance de m'en tirer toujours pour le même prix. Dégoûté, je n'insistai pas.

6

Un escalier bien éclairé conduit aux grands égouts. En pénétrant dans ces canalisations gigantesques, je fus émerveillé par leur ampleur, leur dignité de cathédrale souterraine. Émerveillé par la trame sonore qu'orchestrent les nombreuses chutes d'eau qui chuintent sur le ciment lisse. Émerveillé par les fantaisies de l'écho qui mêle les sons naissants à ceux déjà vieux de toute une chevauchée à travers ces cavernes rectilignes. Hypnotisé par ce calme mélodique, du vertige plein la tête.

Je m'arrachai au sortilège des sons pour mieux m'ébahir du diamètre de la canalisation où je venais d'entrer, véritable tunnel qui aurait pu servir à la circulation automobile. Dans ce monument, c'était une rivière d'eaux-vannes qui coulait à n'en plus finir.

Je n'étais pas le seul à vibrer. Tohu Bohu parlait très fort, pourchassant les voix d'équipes lointaines. Ce phénomène tenait du prodige. Dans les égouts de surface, une telle qualité sonore était rare, les bruits de la circulation court-circuitant les échanges. Ici et dans les canalisations adjacentes, l'air avait été purifié des sons parasites, élimination d'autant plus parfaite que les bouches d'égouts étaient scellées par une couche de glace. Seule la digestion de la Ville avait droit de cité.

Alby en profita pour se dégourdir les jambes, retrouvant avec un plaisir manifeste un monde qui était davantage à sa mesure. Finis les mois où nous avions été obligés d'avancer, souvent courbés, dans des canalisations étroites, tels des rats se faufilant dans ces ouvertures sombres. Nous pouvions enfin marcher la tête haute.

Mon ravissement dura peu. Caddy se mit à tousser. Avant que je comprenne ce qui lui arrivait, une irritation violente à la gorge et aux poumons me plia en deux. Tout mon organisme luttait, n'arrivait pas à s'habituer à cette senteur insaisissable, grisante.

Reggie, en veine de confidences, racontait les pires incongruités sur ses récentes conquêtes et se claquait les cuisses pour donner plus de poids aux bons tours qu'il avait joués. Je l'écoutais tant bien que mal, cachant mon embarras sous une bonne humeur forcée, ayant l'air d'un fumeur inexpérimenté qui blague avec ceux qui l'entourent pour atténuer le fait qu'il s'est étouffé à sa première bouffée de fumée.

Tout à coup, Tohu Bohu s'élança sur la passerelle surplombant le purin, poussant des cris et sautant à s'en rompre le cou. Il s'engouffra dans une conduite adjacente, entraînant à sa suite le bruit de sa folle escapade que l'écho nous renvoya bientôt par les autres conduites. En peu de temps, il emplit de sa présence chacune des artères souterraines, si bien que nous ne savions plus dans quelle canalisation il se trouvait, toutes semblant vivre par lui. Lorsqu'il apparaissait brièvement à l'entrée de l'une d'elles, bombant le torse et le martelant un instant, nous pouvions situer sa présence fugitive. Sans attendre, il repartait pour mieux réapparaître plus loin. Alby, Caddy et Reggie participaient à ce jeu, pariant sur la prochaine ouverture.

Je m'approchai de Jean.

— Veux-tu bien me dire ce qui lui arrive ?

— C'est difficile à expliquer. Il nous a imposé le même tapage l'an dernier. Peut-être est-il content de revenir ici. Ou simplement drogué par l'air vicié qu'on respire. C'est d'ailleurs pour ça que toi et Caddy avez toussé tantôt.

— C'est possible.

Le sort qu'on réservait aux grands égouts m'intéressait davantage que mes petits bobos.

— Est-ce vrai qu'il n'y a pas d'égoutiers en permanence ici l'été ?

Jean hocha la tête en signe d'approbation.

— Pourtant on doit être mieux pour travailler ?

— Ne te fie pas trop aux apparences.

— Comment ça ?

— Là-haut, ils pensent sûrement qu'il y a du danger, puisqu'ils font la rotation des équipes après quelques mois.

— Ce n'est pas plutôt parce qu'ils craignent qu'on se trouve trop bien ?

— Je ne penserais pas. Ils disent que certains produits chimiques qu'il y a dans le purin dégagent des vapeurs nocives. Si on reste trop longtemps, on s'expose à une intoxication grave.

— Quant à ça, on risque aussi d'être empoisonnés dans les égouts de surface.

— Moins, car il y a plus d'air frais qui vient de l'extérieur. Ici, quand l'air arrive, il n'est plus frais du tout.

Une nouvelle quinte de toux, plus violente et plus douloureuse que la précédente, me secoua. Je fus si affaibli que je n'osai plus parler de crainte de me trahir. Je voulais à tout prix leur prouver que j'étais capable de tenir le coup et, surtout, me prouver que mon organisme pouvait s'adapter.

La journée fut consacrée à visiter notre nouveau secteur et à dresser l'inventaire des réparations à effectuer. Ce rapport en mains, l'ingénieur pourrait justifier notre présence sur les lieux et décrocher le budget nécessaire.

Je fus incapable de voir ce qu'il y avait à réparer, tant j'avais des brûlures à l'estomac et à la gorge.

En rentrant chez moi, je marchai pour chasser mon indisposition. L'effet fut contraire. Je m'assis sur le bord du lit pendant quelques minutes. Le mal chauffait en moi, me montait au coeur. Je me précipitai à la bouche d'égout, soulevai le couvercle, vomis comme un cochon, la tête au-dessus du vide, le corps noyé de sueur.

7

J'ai vomi à plusieurs reprises depuis quelques jours. Je m'entête à retourner dans les égouts, persuadé que mon organisme triomphera de ce test que peu de personnes réussissent.

Jean est malade comme un chien et regrette de ne pas avoir accepté un emploi à l'extérieur pour la durée de l'hiver. Cet aveu m'a choqué. Ne réalise-t-il pas que les autres emplois ne sont que de la pacotille à côté de celui d'égoutier ? Nous seuls, qui travaillons dans les profondeurs, dans ces entrailles dont toute vie dépend, sommes sur la bonne voie, puisque nous vivons dans ce lieu unique où finit et commence toute vie.

Depuis qu'il est malade, Jean ne pense qu'à son projet. Je le ramène énergiquement à la réalité en lui démontrant qu'il faut d'abord déloger les détritus pour gagner l'argent nécessaire au voyage à San Felicidad. Mon ami me regarde tristement, comme si je voulais son malheur.

Pour aider mon organisme à vaincre sa faiblesse, je mange peu. De cette façon, je vomirai moins. Cette méthode draconienne donne les résultats escomptés, mais je suis très affaibli. Je ne m'en plains pas, puisque c'est le prix à payer pour vivre dans les entrailles de la Ville. J'ai incité Jean à en faire autant.

— Tu ne peux vomir ce que tu ne manges pas.

Il m'a toisé de ses yeux fiévreux, mais a quand même suivi mon conseil. Deux jours plus tard, il m'a avoué qu'il se portait mieux. Le soir, pour fêter ce changement, je l'ai emmené, malgré sa réticence, dans les grands égouts. En entrant, j'ai inspiré profondément, dans un geste de défi, pour montrer que je m'y sentais à l'aise.

Choqué par ce geste de bravade, Jean m'a dit :

— On devrait remonter.

— Remonter ! On vient d'arriver !

— C'est ridicule...

Je me suis offusqué et il a dû me suivre sur la passerelle. Notre promenade s'est déroulée en silence et j'ai respiré à pleins poumons cet air rance, jouant avec ses nerfs.

— Soly, rentrons, m'a-t-il imploré.

— Pourquoi ? Tu n'es pas bien ici ! ai-je répliqué, étonné et contrarié.

— Je me sens trop faible. Ça ne fait pas assez longtemps que je suis guéri.

Blême comme il était, il valait mieux rentrer.

8

Maintenant que je vais mieux, je consacre le plus clair de mon temps à comprendre le réseau des égouts. Mes prises de bec avec Jean deviennent plus désagréables. Ce beau fin n'est même pas assez intelligent pour oser admettre que les canalisations de la Ville sont aussi essentielles que les tripes à l'Homme.

Cette découverte a été le déclic qui m'a mis sur la piste. J'ai vite réalisé que l'Homme reproduit inconsciemment son corps dans tout ce qu'il crée. Comme sa peau le protège mal des intempéries, il a d'abord confectionné des vêtements. Cette protection ne suffisant pas, il a conçu les habitations. La population ayant augmenté, des villages et des villes naquirent, d'où le problème des déchets qu'on interdit de rejeter chez le voisin pour s'en débarrasser.

L'Homme se pencha encore sur lui. De là viennent les systèmes d'égouts qui sont une copie de ses entrailles. En feuilletant des revues que Jean me prête, j'ai trouvé un indice prouvant que l'Homme n'est pas satisfait puisque les vêtements et les habitations sont des épidermes encombrants. Des futurologues songent à doter des villes comme Montréal, New York, Paris, Moscou, Hong-Kong d'une coupole. Ce rêve réalisé, nous pourrions y circuler dans le plus simple appareil.

Toutefois, grâce à mon métier, j'anticipe que l'un des problèmes cruciaux de l'Homme, dans ces cités de demain, sera d'éliminer hors de la coupole les produits dégénérés, comme nous le faisons dans les égouts, pour éviter l'intoxication générale, les déchets et les habitants se disputant l'oxygène disponible, les déchets pour se recycler, les habitants pour vivre.

Les peuples, confinés sous les coupoles, seront de véritables poulets en couveuse, à la merci d'une défectuosité. De la même façon, si une canalisation s'obstrue, elle empêche le rejet des détritus et compromet gravement la vie de la Ville, surtout lorsque la situation se généralise, la concentration de produits dangereux déclenchant des réactions en chaîne.

La technologie moderne, par des idées similaires à celle des coupoles, est en train d'emmurer l'Homme dans un égout qui prendra vite des dimensions cosmiques. Le métro, cette voie de circulation souterraine que rien n'arrête et qui rejette à l'extérieur ses déchets pour continuer d'opérer, constitue pour moi un indice prophétique. Dès lors, il n'est pas étonnant de prétendre, selon certaines projections pessimistes, que la pollution sera le principal problème de l'Homme. La solution est double : ou bien l'Homme régénère les déchets, accaparant des espaces sans cesse croissants pour cette opération ; ou bien il rejette ses détritus toujours plus loin, à l'exemple du système solaire qui s'agrandit, en expansion vers l'infini. Dans les deux cas pourtant, nous serons à l'intérieur du système, entourés de déchets, rendant la marche de l'égout cosmique irréversible. Il ne reste qu'une solution : être confortable dans cet égout universel en côtoyant la matière qui nous a donné la vie et qui menace de nous la retirer dès qu'elle n'est plus utilisée.

Mon métier d'égoutier, dénigré par ces prétentieux qui nous marchent sur la tête, m'a placé dans une position privilégiée car il me permet de goûter avant les autres le sort que nous réserve l'avenir. Le rejet pur et simple des déchets ne suffit déjà plus, la Ville étant accusée par ses voisines d'atteinte à leur santé. Il lui faudra dorénavant garder sa pollution au lieu de souiller le fleuve et l'atmosphère.

Cette phase, déjà amorcée, où il sera indispensable de garder nos déchets, me préoccupe. Viendra-t-il un jour où la matière utilisée, enfin domptée, nous entourera de partout et nous servira d'écorce protectrice ? Si oui, qu'est-ce qui protégera la matière à son tour ? Y aurait-il une autre dimension ? Une forme inédite ?

Pour le moment, ces récentes interrogations me dépassent. Faisant fi des réticences de Jean, je lui confie mes préoccupations, avec l'espoir qu'il me tire du marasme intellectuel où je m'embourbe. Mon ami ne parvient pas à me convaincre que j'ai tort. Dépassé par les rapprochements que j'établis et par les implications qui en découlent, il a de ces airs attendris en me regardant. Parfois, il s'esquive tout simplement, me conseillant d'en parler à quelqu'un d'autre.

En parler à quelqu'un d'autre ? Sacrilège ! Mes pensées sont trop intimes, trop vitales pour être traînées sur la place publique.

Jean, pourquoi me fuis-tu ? Pourquoi ? Je ne suis pas un monstre que tu regardes, hagard. C'est la pollution qu'il faut mater.

— Mon pauvre Soly, tu travailles trop ! se contente-t-il de murmurer.

Mais non, Jean ! Ce n'est pas une réponse. J'essaie de comprendre ce qui me pousse tant à travailler. Est-ce un crime d'être lucide ?

SIXIÈME CYCLE

1

— Soly, ce matin, tu n'y vas pas.

Je voulus passer ; on me repoussa. Je restai bouche bée, semblable à quelqu'un qui se réveille en sursaut à la suite d'un cauchemar. Jean, Alby, Caddy, Reggie, Tohu Bohu et quelques égoutiers des sections voisines m'entouraient.

— Tu n'as pas compris ! répéta un de ceux que je ne connaissais pas. Défense d'entrer dans les égouts.

Me croyant victime d'un coup monté, je dévisageai Jean, mettant dans mon regard toute la hargne d'une personne trahie.

— Qu'est-ce qui vous prend ?

— Tu n'en as pas assez de cette vie ? s'enquit le même égoutier.

— Cette vie est la meilleure qui soit, ripostai-je.

Ils firent un pas dans ma direction.

— Qu'est-ce que vous me voulez ? demandai-je, énervé par leur intimidation.

— Tu dois nous appuyer, insista l'égoutier. La Ville nous exploite. Les conditions de travail, c'est de la merde. Il faut que ça cesse.

Les yeux troubles, j'observais mes compagnons, essayant de deviner ce qui s'était passé. C'était Jean surtout que je visais, Jean qui se tenait en retrait. Qu'avait-il manigancé pour les monter contre moi ?

— Salaud ! crachai-je à la face de Jean. Tu es jaloux de ce que je pense !

Le groupe fit un autre pas vers moi. Je voulus reculer, mon talon heurta le mur : j'étais cerné.

— Qu'est-ce que je vous ai fait ? demandai-je, la voix adoucie, presque implorante, pour cacher ma peur.

Mes équipiers restèrent muets comme des carpes. Celui qui semblait le chef du groupe se fraya un chemin entre eux, un papier à la main et le brandit sous mon nez.

— Toi aussi tu vas signer.

Je donnai une taloche sur sa feuille.

— Ne fais pas le malin !

Tous les yeux étaient rivés sur moi, fauves de menaces.

— Signe.

Avec l'index, il m'indiqua où.

— Pourquoi signer ?

— On ne t'a pas expliqué ? Pour devenir membre du Syndicat des Égoutiers de Montréal.

— Si je ne signe pas ?

— Tu cours après les ennuis.

Il agita son document sous mon nez.

— Signe. Ensuite, tu pourras aller travailler.

Sur le coup, je n'en crus pas un mot.

— C'est vrai, approuva Jean.

Je signai.

Lorsque les égoutiers des autres sections furent partis, j'apostrophai Jean :

— Tu vas m'expliquer ce qui se passe.

— Ne te choque pas, c'était pour ton bien.

— Mon bien !

— Lorsqu'une personne est incapable de protéger ses intérêts, il faut qu'une autre s'en charge.

— Bébert disait ça aussi.

— La différence, c'est que nous, on est honnêtes.

— Honnêtes au point de forcer les autres à signer.

— Quand tu comprendras, tu me remercieras.

— Au lieu de manigancer dans mon dos, tu aurais pu m'informer honnêtement.

— J'avais peur que tu t'opposes à entrer dans le syndicat. Je voulais t'en parler hier. Ce matin, le responsable m'a dit qu'il ne pouvait plus attendre : tu étais le seul à ne pas avoir signé.

— Il y a des choses qui se décident trop vite ; ce n'est jamais bon. Si j'ai été roulé, vous allez en entendre parler.

— De quoi te plains-tu ? On ne t'a pas molesté et tes camarades ont tenu à être là pour que tout se passe dans les règles.

Plus je m'efforçais d'y voir clair, plus ma tête s'y refusait.

— Qu'est-ce que tu attends pour venir travailler ? proposa finalement Jean avec une bonne humeur forcée. Ça va te changer les idées.

2

Je tiens Jean responsable de mon adhésion forcée au syndicat. Lorsque je lui demande : « Pourquoi un syndicat ? » il répond : « Pour avoir de meilleures conditions de travail. » Il s'en tient à cet argument, sachant qu'au moins, sur ce point, je risque d'être d'accord.

Il y a des rumeurs de pressions possibles auprès des patrons, mais jamais elles ne se concrétisent. J'en suis quitte pour la peur.

Depuis le début de janvier, le débit du purin décroît. Ce changement, je l'ai surtout deviné à certaines odeurs qui se font plus rares. Mon intuition m'avertit de l'imminence d'un événement anormal.

Ce matin, Tohu Bohu est arrivé de mauvaise humeur.

— Ces maudits entrepreneurs italiens sont en train de mettre les égouts du centre-ouest de la Ville hors d'usage, a-t-il maugréé.

— Qu'est-ce que qui se passe pas là au jouste ? s'est informé gauchement Caddy.

— Tu connais les deux gratte-ciel qu'ils sont en train de construire ?

— Moi, j-jamais rencontrer eux. I-i-ils v-v-vont t-tom-ber ?

— Mais non ! Ces salauds, le jour, quand il fait doux, nettoient la place en envoyant le sable dans les égouts avec des jets d'eau. Naturellement, ça gèle la nuit. Plusieurs propriétaires viennent de se plaindre. Le patron nous demande d'évaluer les pots cassés.

Ce n'est pas que de l'eau et du sable. Il y a surtout une grande quantité de ciment, deux ou trois bétonnières qu'on a vidées là afin que le ciment ne fige pas dans les camions. On a dissimulé l'infraction en utilisant des jets d'eau pour que le ciment se rende assez loin. Le résultat ? C'est à peine si le purin parvient encore à suinter. Le liquide a commencé à être refoulé dans les caves non munies de valves de sûreté et même à travers plusieurs bouches d'égouts, entraînant avant de geler le peu de neige laissée le long des trottoirs. Ces langues gelées, sorties des entrailles de la Ville, prennent d'assaut certaines rues de leurs odeurs nauséabondes, accentuées le jour par du temps plus doux. Dans certaines canalisations, le purin refoulé coule en sens inverse, la Ville vomissant pour mettre fin à sa constipation.

Le désastre est si grand que la journée s'est passée à installer des valves dans les caves inondées et à les vider ensuite, ce qui ne règle en rien la cause du problème.

3

La situation a empiré cette nuit. Des crevasses sont apparues dans des canalisations, provoquées par le gonflement du liquide gelé. Toute circulation ayant cessé, et de là tout apport de chaleur, il règne dans les égouts un froid sibérien, égal à celui qui s'est abattu sur la Ville pendant la nuit.

Le fragile équilibre qui permettait au jus de circuler en pareilles circonstances est rompu. Les larmes me sont montées aux yeux. Les canalisations, couvertes de lézardes figées dans le frimas, ont l'air des artères sclérosées d'un mort oublié depuis des siècles sur un champ de bataille, champ de bataille coiffé ironiquement d'un bleu très pur vers lequel montent timidement de maigres volutes de fumée, tels des drapeaux ridicules qui annoncent la reddition.

Je suis consterné à la vue des sombres excroissances de glace qui émergent des bouches d'égouts, comme des mares de sang coagulé, à moins que ce soit les bourgeons d'un autre genre de vie qui percent, étranglant la Ville de leurs tentacules vigoureux.

Je me suis mis à la tâche avec l'énergie du désespoir, tel un chirurgien qui doit amputer une verrue géante sur un monstre préhistorique à l'agonie à l'aide d'une tête d'épingle. Armé d'un pic et accroupi dans l'une des étroites canalisations, j'ai cassé rageusement cette langue glacée qui semble venir de l'extérieur, rejetant les blocs de purin derrière moi. Ennuyés par le froid et l'exiguïté des lieux, Jean et Caddy ont chargé les blocs et les ont transportés laborieusement sur un traîneau rudimentaire jusqu'à la canalisation centrale qui charrie tant bien que mal tout ce frasil, privée du débit de plusieurs conduites secondaires.

La situation est à ce point critique que toutes les équipes ont été appelées sur les lieux. Deux ingénieurs sont descendus dans la canalisation centrale. Partout, le même manège se répète : un homme de tête, remplacé dès qu'il flanche, entame cette muraille vitrifiée pendant que ses compagnons éliminent ce qu'il a pu arracher.

À la fin de l'avant-midi, la nouvelle nous est parvenue qu'une importante conduite de l'aqueduc a cédé, sans doute trop comprimée par celle de l'égout, transformant en patinoires plusieurs rues. Les autorités de la Ville ont été obligées de couper l'eau, provoquant le mécontentement, voire la panique, dans la population.

Pris entre deux feux, les ingénieurs nous pressent d'aller plus vite, mais le déblaiement avance très lentement, le purin gelé, mêlé au ciment des Italiens, étant aussi dur que de la pierre. Afin d'accroître notre efficacité, les équipes se relaient, l'une allant se réchauffer pendant que l'autre prend la relève.

Au début de l'après-midi, devant les piètres résultats obtenus et les conditions inhumaines de travail, certaines équipes se sont mises à maugréer. Une délégation spontanée est venue trouver les deux ingénieurs.

— Ça n'a pas de bon sens d'essayer de passer à travers avec des pics. On n'en viendra jamais à bout ! Vaudrait mieux attendre le dégel.

— Il n'en est pas question, a protesté l'un des ingénieurs. Ce qu'il vous faut, c'est plus de coeur à l'ouvrage.

— Les hommes font leur possible. Il ne faudrait pas les pousser à bout. J'aimerais vous voir jouer du pic dans ces canalisations étroites, avec un bloc de glace pour vous tenir au chaud.

— Qu'est-ce qu'il vous faudrait ?

— Peut-être des chalumeaux à acétylène pour faire fondre la glace, a ironisé le second ingénieur, devançant la réponse du chef de la délégation.

Le feu aurait pris aux poudres si l'ingénieur principal ne l'avait pas fustigé du regard.

— Il se pense drôle, le chien, a maugréé une voix d'égoutier en sourdine.

— Un bel écoeurant, a soufflé un autre.

— Vous avez des suggestions ? a redemandé l'ingénieur en chef, ignorant les impolitesses réciproques.

— Des explosifs faciliteraient notre tâche.

— D'accord, mais ce sont les conduites qui vont écoper.

— Pas si nous employons de petites charges.

— C'est une idée de fou, a protesté l'autre ingénieur.

— Ils savent ce qu'ils font. S'ils brisent les conduites, ils les répareront.

— Les conduites, passe encore, à insisté l'ingénieur en désaccord. Je pense aux hommes. La moindre explosion va les souffler comme des bouchons.

— Ils le savent, à tranché l'ingénieur en chef. Ils auraient évacué avant chaque explosion sans qu'on le leur dise.

Changeant de ton, l'ingénieur principal a ajouté :

— C'est d'accord. Que cinq hommes aillent chercher au dépôt les explosifs nécessaires.

Les égoutiers se sont éloignés. L'un d'eux, en passant près de l'ingénieur rébarbatif, lui a donné discrètement un coup d'épaule. Le jeune ingénieur a vacillé et cru qu'il allait plonger tête première dans les eaux-vannes. Une autre main d'égoutier l'a retenu à temps sans qu'il puisse savoir de qui. Troublé, il a regardé hargneusement les cinq hommes qui s'éloignaient.

La dynamite n'a pas tardé à se faire entendre, mais sans trop de succès. Notre journée terminée, on nous a demandé de faire du temps supplémentaire. Quelques-uns ont maugréé avant d'accepter et nous avons continué jusqu'à minuit avant d'être remplacés par des égoutiers en chômage pour l'hiver qu'on venait de rappeler.

Peu habitués à ce genre de travail et gênés considérablement par le froid, la température étant descendue à -35° Celsius, les nouveaux arrivés n'ont pas fait merveille, d'autant plus que sous l'explosion la glace refusait de se craqueler pour former des blocs, tombant plutôt en poudre.

À notre retour, nous avons été déçus du peu de progrès réalisés. Énervés, les deux ingénieurs n'ont pas tardé à nous rejoindre. Malgré tout, l'ingénieur en chef nous a encouragés à fournir un effort spécial. L'assistant ingénieur ne l'a pas vu du même oeil et a eu la malencontreuse idée de dire que la fainéantise camouflée ne serait plus tolérée. Piqués à vif, des égoutiers ont fait volte-face. L'un d'eux a pris son pic et l'a tendu au jeune ingénieur. Décontenancé, celui-ci a essayé de reculer, mais a dû prendre le pic pour éviter qu'il ne lui tombe sur les pieds.

— Mon jeune morveux, tu vas venir te salir avec nous autres, a ordonné l'égoutier, furieux.

Frompson a adressé vainement un regard implorant à son compagnon. Marmottant des menaces dans un anglais pas trop pur, il a dû les suivre.

— Qu'est-ce que tu as tant à redire, Frompson ? l'a nargué un des égoutiers en le poussant dans l'une des conduites obstruées.

Maladroitement, Frompson s'est mis à l'oeuvre, déployant nerveusement une énergie farouche dans le vain espoir de faire taire les sarcasmes et les rires gras des égoutiers ébahis par tant de dextérité. Rageur à force d'être humilié, il a pris de plus grands élans et a ainsi heurté le plafond, ce qui a faussé complètement la portée de ses coups. Le pic a rebondi gauchement, entaillant à peine le purin et lui échappant presque des mains. Le manège a duré une heure et il a été renvoyé, ses qualifications ayant été jugées insatisfaisantes.

Le travail s'est poursuivi durant toute la journée. La nuit venue, d'autres surnuméraires nous ont remplacés, ceux de la veille n'étant plus intéressés. Même parmi l'équipe régulière, certains ont parlé de tout laisser à leur tour. Cela promet de mal aller car, cet après-midi, des groupes de citoyens sont venus parader devant l'Hôtel de Ville pour presser les autorités d'agir et dénoncer la supposée fainéantise des égoutiers, ces bons à rien. Si le froid ne les avait pas chassés, je crois que nous nous en serions chargés.

Ce n'est qu'à la fin du troisième jour que les premières conduites ont été dégagées, libérant du même coup du purin à moitié gelé et des odeurs si fortes que les égoutiers ont évacué en vitesse pour ne pas tomber comme des mouches. Dans les autres canalisations, les senteurs refoulées sont supportables et nous avons pu continuer.

À minuit, les surnuméraires ne se sont pas présentés, n'ayant même pas été appelés, les autorités jugeant que nous sommes capables de terminer seuls le travail. La nouvelle s'est répandue comme une traînée de poudre et les pics se sont retrouvés par terre. J'ai été entraîné par le geste spontané des autres égoutiers qui ont eu tôt fait de se présenter devant les deux ingénieurs. L'échange a vite tourné au vinaigre et la situation se serait envenimée si l'ingénieur Baillargeon n'avait pris sur lui la responsabil... de laisser partir ceux qui étaient au bout de leur rouleau.

Tohu Bohu et moi, ainsi que quelques autres, avons accepté de continuer. La joie de voir les travaux se poursuivre a chassé en moi toute fatigue et je sais que je pourrai résister toute la nuit. Puisqu'il n'aura affaire qu'à un petit groupe, c'est Frompson qui nous surveillera.

Ce matin, toutes les conduites fonctionnent de façon satisfaisante. Le seul incident a été la chute mystérieuse de Frompson dans le purin. Parti changer de vêtements, on ne l'a pas revu. Baillargeon est cependant apparu plus tôt que prévu.

— Où est passée la dynamite ? a-t-il demandé, soucieux.

Tout le monde s'est regardé, surpris.

— Elle a sans doute été utilisée, a suggéré l'un.

— À moins que les caisses soient tombées dans le purin avec Frompson, a plaisanté un autre.

Baillargeon s'est gardé d'insister, mais il n'a pas été dupe ; il s'est contenté de nous renvoyer à la maison.

Au cours de la journée, un étrange phénomène s'est produit, les couvercles d'égouts se soulevant sourdement ici et là au grand étonnement des rares passants. La Ville s'est mise à tousser et le sol à vibrer, comme si Elle était un grand noyé qui revenait à la vie.

En réalité, c'était Tohu Bohu qui faisait exploser des bâtons de dynamite. Par la bouche des égouts, il manifestait ainsi son mécontentement et celui des égoutiers qui avaient été obligés de travailler comme des nègres pendant que ces entrepreneurs, du haut de leur niche de verre, n'avaient même pas eu droit à un seul reproche.

SEPTIÈME CYCLE

1

Au lieu de se rendre à l'ouvrage, les égoutiers ont multiplié les journées d'études depuis deux semaines. Mes compagnons sont très mécontents des conditions de travail qui nous ont été imposées, surtout lors des trois jours où il a fallu dégager les conduites obstruées par le gel et le ciment. Cet effort commun les a rapprochés et ils ont pris conscience de l'indifférence de la Ville.

Jean a été particulièrement écoeuré par l'effort qu'on a exigé de nous. C'est beau l'argent, a-t-il dit, mais lorsqu'on se sert de ce prétexte pour nous traiter en esclaves afin d'assurer le bien-être d'une population qui ne l'apprécie même pas, alors je ne marche plus. Quand on a parlé des journées d'études, il a donné son appui, résigné à puiser à même l'argent mis de côté pour le voyage.

Ces soixante-douze heures de travail harassant m'ont vidé et je n'arrive plus à reprendre le dessus. Je néglige tout, autant mon travail que mon journal. Je ne replace même plus le couvercle sur la bouche d'égout.

J'ai eu la faiblesse, pour la première fois, de critiquer mon emploi. Dès que je me suis ressaisi, je me suis approché de l'ouverture et j'ai inspiré profondément le souffle venu des entrailles de la Ville.

Pendant d'interminables minutes, j'ai toussé jusqu'à en râler, dévoré par un feu interne. Peu à peu, mon organisme s'est habitué et j'ai été grisé par cette haleine virile dont les bouffées, parfois chaudes, ont caressé durement mes narines.

Désormais, en laissant le couvercle enlevé, je n'aurai plus à m'adapter chaque jour à ce changement d'atmosphère.

2

Jean est resté une semaine sans venir. Lorsqu'il est arrivé, j'étais accroupi au-dessus de la bouche d'égout et je regardais passer les détritus charriés par les eaux-vannes. Je me suis redressé, gêné d'avoir été surpris.

— Tu ne trouves pas qu'il y a une odeur curieuse ici ? m'a-t-il confié.

Jean a beaucoup changé. Ses traits sont tirés et il dissimule mal le tremblement de ses mains.

— Tu devrais remettre le couvercle à sa place, m'a-t-il suggéré.

— Tu n'as qu'à t'en aller, si tu ne te sens pas bien ici, lui ai-je répondu.

— Cette senteur, partout... On croirait que tu recherches une présence féminine. Les égouts te tiennent sans doute lieu de substitut, a murmuré Jean, juste assez fort pour que je le comprenne. Soly, tu devrais sortir, rencontrer d'autres personnes, m'a-t-il proposé en haussant la voix. Tu es un homme avant tout ; c'est absurde de te terrer ainsi.

— Je ne me terre pas ; je me protège.

— De qui ?

Je n'ai pas répondu.

— Soly, j'ai toujours eu l'impression que tu t'attachais désespérément aux égouts pour échapper à quelqu'un.

J'ai reculé d'un pas, craintif.

— Tu te terres parce que tu as peur. Dans ce sous-sol sans fenêtres, peux-tu encore être libre ? Tu es pire qu'un prisonnier. Au moins, en prison, ils voient à l'extérieur. Regarder le monde par les égouts, ce n'est pas une vie.

Les mots m'ont manqué. Lui qui n'a pas su comprendre l'attachement qui me lie à mon travail, de quel droit ose-t-il le dénigrer ? Je ne suis l'esclave de personne. Ma liberté, c'est mon ouvrage qui me l'a redonnée. Sans les égouts...

— Soly, tu es comme une autruche qui s'est enfoui la tête dans le sable. Avec le temps, elle oublie la cause de sa peur et s'habitue à l'atmosphère sous la terre. Les cristaux de quartz, dans la noirceur, se muent en étoiles qui guident l'autruche vers une liberté nouvelle. En réalité, sa délivrance, c'est l'asphyxie qui la gagne sans pour autant écarter le danger qui menace son corps resté à l'extérieur. Soly... tu es cette autruche.

— Je ne comprends pas où tu veux en venir, ai-je bredouillé.

— Bébert sait que tu es ici.

J'ai frémi. Jean, un des leurs ! Une révélation si inattendue dépasse l'entendement. Jean, mon ami, un traître. Je suis comme une bête sauvage qui se retrouve avec un intrus dans son terrier. Même la fuite n'a plus de sens.

— Ne crains rien, je suis ton ami.

— Va-t'en, lui ai-je ordonné. Un traître n'est pas un ami. Tu me dégoûtes ! Va-t'en !

Sans prononcer un mot, Jean s'est assis.

— Va-t'en, maudit vendu !

— Qui t'apportera ta nourriture ? a-t-il objecté le plus calmement du monde. Qui encaissera tes chèques de paye ? Qui ?

Ces considérations n'ont plus d'importance. Manger, avoir de l'argent, c'est secondaire. Avoir été trahi par mon meilleur ami, c'est inacceptable. Il est urgent que je le chasse, que je l'expulse, de mes mains, si nécessaire.

Malgré ma révolte, j'ai été incapable d'agir, hypnotisé par le regard franc de Jean qui ne partira pas tant qu'il ne m'aura pas dévoilé le fond de sa pensée.

— Sous prétexte de reconquérir ta liberté, tu as éliminé toutes tes sorties. Que tu le veuilles ou non, tu vis dans une société. Tu ne peux échapper à son influence. Les égouts, ce sont d'étroits tunnels, bien sombres et sans attrait, où tu te faufiles, faute de pouvoir aller ailleurs, pour arriver seul à l'autre bout.

— Justement, je n'ai besoin de personne, ai-je objecté sèchement. Quand j'étais pêcheur à Percé, je travaillais seul sur ma barque. Le froid, la noirceur, les tempêtes, rien ne m'empêchait de rentrer. Je suis toujours revenu. Toujours.

— Tu revenais parce que la côte était toujours là. Sinon, que serais-tu devenu ?

— La côte était toujours là, ai-je répété sans comprendre.

— Justement ! Si tu vis encore, c'est parce que le monde continue d'exister. Fidèlement, je t'apporte ce dont tu as besoin. Cette nourriture et ces vêtements viennent pourtant de l'extérieur, de ce monde que tu fuis.

Jean s'est levé et est parti en secouant la tête au moment où j'aurais voulu le retenir.

Pendant des heures, j'ai réfléchi, notant aussi exactement que possible ses paroles. C'est sa dernière comparaison qui m'intrigue le plus. Pourquoi la côte n'aurait-elle pas été là à mon retour ?

Ce matin, mes compagnons discutaient ferme à voix basse. Soupçonneux, je n'osais pas m'approcher. Jean vint à ma rencontre.

— On ne travaillera pas fort aujourd'hui, m'informa Jean.

Un geste de mécontentement m'échappa.

— Il faudrait trouver quelque chose pour occuper utilement notre journée, proposa Jean avec un sourire tel que mes craintes diminuèrent.

Après une hésitation calculée, il haussa le ton.

— Soly, tu devrais nous faire profiter de tes découvertes.

Les autres levèrent la tête et cessèrent leur conversation. Ma méfiance ne fit qu'un tour.

— Quand on travaille avec des amis, on doit être capable de tout partager : peines, joies, réflexions.

— Pourquoi tant de mystère ? dis-je, impatienté.

Jean fit semblant de réfléchir. En réalité, il prenait son temps pour amener sa proposition.

— Le moral des égoutiers... la grève... les débrayages... Soly, tu nous rendrais service si tu nous expliquais pourquoi notre métier est le plus important au monde, lança Jean, enfin décidé.

— Pourquoi ? répliquai-je vivement.

— Soly, j'ai bien réfléchi. J'ai peut-être été injuste avec toi. Ce que tu penses de notre travail mérite d'être connu. Dis-moi franchement : existe-t-il meilleur auditoire que des égoutiers pour être compris ?

Cette demande était si subite, si inusitée. J'en oubliais ma dernière prise de bec avec Jean. Avait-il trouvé cette astuce pour se faire pardonner par un coup d'éclat ?

La voix hésitante, j'essayai de comparer le réseau des égouts aux intestins d'une personne. Les mots me manquaient. Leurs yeux brillaient. D'intérêt ou de moquerie ?

— Toi, Caddy, tu n'es pas fatigué d'avoir le nez dans la crotte ? intervint Reggie.

— J-j-j'ai pas de c-c-crottes dans le n-n-nez, bégaya le Grec, insulté.

— Mais non, papa Caddy, toi tu décrottes ce que les autres ont mangé, assura Tohu Bohu.

— J-j-j'mange pas mes c-c-crottes de n-n-nez, rectifia le Grec, rouge d'indignation.

Aussi mal à l'aise que le Grec, j'implorai Jean du regard pour qu'il les ramène à l'ordre, mais il feignit de ne pas me voir.

— Tut ! tut ! tut ! Petit cachottier ! On n'engraisse pas les cochons à l'eau claire, insista Alby, se frottant le ventre pour imiter le début d'opulence du Grec. Il n'y a pas juste de la bière dedans.

Caddy s'empourpra.

— N-n-nous, en Grèce, pas des c-c-couchons à l-l-l'o-l'ou claire. Q-Q-Québécois, b-b-bedaines de pipi... b-bière.

— Tu as mal compris, intervint Tohu Bohu.

— J-j-je co-comprends t-t-toujours mal. Qu'est-ce que que c'est que c-c-cette histoire ? J-j-je v-voudrais bien que qu'on m'ex-x-plique une f-fou-a pour t-toutes.

— T'expliquer quoi ? Que tu es bouché par les deux bouts ! railla Reggie.

— Qui-qui-qui cé-cé qui... le boucher ?

Je ne pus supporter davantage cette engueulade, amicale dans le fond, me sentant aussi ridiculisé que Caddy. Je les quittai en douce, décochant un regard qui aurait transpercé Jean s'il avait été un dard.

4

Au cours de la soirée, Jean vint me voir. Je le reçus avec les mots drus qu'il méritait, mais sa mine de repentant me désarma rapidement.

— Soly, je m'excuse pour tout ce qui est arrivé.

— Moi qui croyais que tu étais mon ami !

— Je le suis toujours.

— Lorsqu'on est l'ami de quelqu'un, on ne cherche pas à se moquer de lui.

— Je te demande bien pardon ! protesta Jean. C'est Caddy qui a tout gâché.

— Je n'en crois pas un traître mot. C'était un coup monté.

— Laisse-moi au moins t'expliquer.

— Essaie toujours, le défiai-je.

— Hier soir, tu te rappelles, j'ai bien essayé de te faire abandonner tes idées sur les égouts. Rendu chez moi, j'ai réfléchi et je me suis dit que j'avais tort, que d'autres personnes pourraient probablement mieux te comprendre que moi. J'ai organisé cette petite réunion, mais je n'avais pas pensé que... Caddy...

Jean m'implorait du regard.

— Il faut me croire, insista-t-il.

— Si tu essaies de me duper... Bon, oublions ça.

5

À la demande du syndicat, le travail avait repris avec plus de régularité, cette tactique devant faciliter les négociations avec la Ville.

Un soir, en revenant chez moi, j'eus la forte surprise de trouver Élise Messier étendue sur mon lit. En m'entendant, elle se dressa sur son séant.

— Élise ! Que fais-tu ici ?

— Soly ! Soly ! C'est toi !

Elle était folle de joie.

— Dire que j'ai cru que je ne te retrouverais plus. Mélina ne voulait pas me dire où tu étais depuis que tu as quitté Trois-Rivières.

Je la regardais, incrédule et sur mes gardes.

— Tu es venue seule ?

— Mais oui, gros loup, avoua-t-elle, enjouée. D'ailleurs, avec cette senteur, il y a de quoi décourager les plus hardis.

Des yeux, elle désigna la bouche d'égout.

— Tu ne pourrais pas remettre le couvercle à sa place ? J'ai bien essayé, mais c'était trop lourd. Pour supporter l'odeur en t'attendant, je me suis enfoui le nez dans les couvertures.

Je ne l'écoutais pas et pensais plutôt à ce que cette femme pouvait signifier pour moi.

— Dis donc, est-ce que je vais être obligée de le faire moi-même ?

— Faire quoi ? demandai-je, étonné.

D'un geste, elle me montra l'ouverture béante.

— Jamais ! interdis-je.

Je vis la désapprobation ternir son regard.

— En laissant les odeurs pénétrer jusqu'ici, c'est plus facile de m'adapter lorsque je retourne à mon ouvrage.

Élise devina qu'il valait mieux ne pas insister.

— Laissons tout ça de côté. Je t'ai retrouvé, c'est l'essentiel.

— Tu me cherchais ? Pourquoi ?

— Depuis ton départ... Tu ne m'as pas donné le temps de te connaître assez.

Elle voulut m'embrasser, mais je la repoussai.

— Celui que tu as connu n'existe plus, dis-je d'un ton sec.

Elle me regarda, perplexe.

— Je t'aime. Ce n'est pas en me disant que tu as changé que tu vas te débarrasser de moi. Je l'admets, je n'ai pas été assez fine pour le réaliser assez tôt mais, maintenant, je suis décidée. Ne t'inquiète pas, je ne suis pas exigeante comme Mélina.

— Ne me parle pas de cette femme, lui défendis-je.

— Je ne t'en parlerai plus, promis. Tout ce que je veux, c'est être près de toi, t'aimer.

Soudain, je réalisai pleinement ce que la visite d'Élise avait de mystérieux.

— Qui t'a dit que je me trouvais ici ?

— Moi. C'est moi qui t'ai trouvé.

— N'essaie pas de me prendre pour une dinde, l'avertis-je, haussant la voix. Je ne sors jamais ; il a fallu que quelqu'un te renseigne.

— Personne, je t'assure, nia-t-elle. L'amour, c'est le meilleur des guides.

Choqué de la voir mentir, je la saisis par les épaules.

— Qui ?

— Un ami commun.

— Qui ?

Comme elle ne répondait pas, je la secouai.

— Jean Fortier.

— Menteuse ! Il ne te connaît pas.

Je ne pus retenir une gifle qui empourpra son visage. Elle redressa la tête, le regard étrangement doux.

— Vas-y, frappe-moi. Je t'aime.

— Si tu comptes me posséder comme à Trois-Rivières...

— C'est que je t'aime !

— Quel genre de femme es-tu ?

Je la regardai droit dans les yeux. Sa confiance tranquille me désarma au point que j'eus honte de moi, de mes mains posées sur elle. Libérée, elle ne broncha pas.

— Si on s'est rencontrés, c'est un coup du destin. Je n'ai rien provoqué, sois-en sûr.

Elle s'arrêta, le temps de peser ses mots.

— Soly, je vais probablement te choquer en te disant la vérité, mais ce que je ressens pour toi est si fort... Rien ne pourrait diminuer mes sentiments... C'est par la séparation qu'on évalue la force des liens.

— Tu n'as pas changé : tu es encore le moulin à paroles que j'ai connu. Je déteste ceux qui parlent trop.

— Soly, si tu pouvais lire au fond de mes pensées pour comprendre à quel point je t'aime...

— Les fausses confessions, ça ne m'intéresse pas. C'est toujours un truc pour prendre les autres et les pousser à dévoiler leurs secrets.

— Soly, que tu es méchant ! Mais, dans le fond, tu me fais plaisir, puisque tu viens de me prouver que tu n'es pas insensible.

Tant d'aplomb, c'était trop. Je rageais contre cette femme qui voulait s'imposer, qui avait toujours voulu s'imposer.

— Tu as vraiment le tour de te mettre dans le pétrin. À trop brusquer les gens, on les rebute.

— Soly, j'ai voulu te perdre, avoua-t-elle subitement.

Je bondis et l'empoignai rudement.

— Que dis-tu ? sifflai-je avec colère.

— J'ai voulu te compromettre, confirma-t-elle avec une candeur feinte.

Une seconde gifle rougit sa figure et du sang se répandit sur la lèvre supérieure, fendue par le coup. Du revers de la main, elle s'épongea. À la vue du sang que moi, grosse brute, j'avais fait couler, je pâlis et la relâchai, à un cheveu de lui adresser des excuses.

Les yeux embués de larmes, Élise ne bougeait pas, ne parlait pas. J'aurais voulu me battre à coups de poings.

— Soly, commença-t-elle enfin, la voix fémissante, la nuit où j'ai tenté de faire l'amour avec toi, c'était un coup monté avec Mélina pour établir une preuve d'adultère.

Cet aveu tardif me laissa curieusement froid, comme si un autre homme avait été en cause.

— Depuis la première rencontre jusqu'à ce soir-là, c'est elle qui avait tout manigancé. Elle m'avait d'abord fait venir à Trois-Rivières sous prétexte de lui tenir compagnie, car j'étais sa meilleure amie. Pendant plusieurs jours, elle avait mis au point le scénario qu'elle attendait de moi. Le premier soir où tu m'as vue dans ton appartement, elle avait déplacé ton fauteuil de façon que tu aies une vue montante sur mes jambes, que je devais étaler avec une insouciance provocatrice. Elle s'était mise à ta place pour choisir le meilleur angle et me faire répéter certaines poses. Tu t'imagines ? Mélina savait que tu lui étais très attaché, sans que ce soit pour autant de l'amour, du moins le disait-elle. Le seul moyen d'agir sur toi était d'atteindre ton subconscient. Une vraie psychologue ! La première étape consistait à te mettre en confiance, en me voyant régulièrement, et à exciter tes sens. Ensuite, elle prépara une occasion où tu n'y verrais que du feu, me laissant toute la responsabilité de cette compromission. Mélina avait tout prévu. Tu ne pouvais la soupçonner. Aux yeux de la justice, nous serions les seuls responsables. Comme je parlais beaucoup, elle avait imaginé de te faire perdre la notion de temps. De cette manière, tu serais obligé de me garder pour la nuit, à moins d'être un sans-coeur, car il serait trop tard pour que je rentre chez moi. Jusque-là, tout était bien calculé. Même la question du divan avait été prévue. Par la suite, tout s'est gâté pour elle : tu n'as pas voulu faire l'amour, même si j'avais profité de ton sommeil pour me glisser dans ton lit, avec l'excuse qu'elle avait mise sur mes lèvres.

Élise s'arrêta, les yeux baissés, la gorge étreinte par un sanglot qu'elle essayait de refouler.

— Lorsque j'ai été dans le lit, tout son beau projet a craqué. Parce que tu m'as résisté, j'ai cessé d'agir pour son compte.

Pendant quelques secondes, elle ne dit rien, préparant l'aveu final.

— Grande sotte que j'étais ! C'est seulement à ce moment-là que j'ai compris...

Les yeux scintillants de larmes, comme des étoiles dans l'eau, elle posa sur moi un regard empreint d'une tendresse à fendre l'âme.

— Soly, je t'aime. C'est pour te le dire que je t'ai cherché depuis un an.

Sans attendre, elle prit son sac à main et s'en alla. Je ne fis aucun geste, comme si elle n'était jamais venue.

6

Le travail a encore cessé dans les grands égouts, le syndicat ayant décrété l'ordre de grève. La Ville ne semble pas pressée de prendre nos revendications au sérieux, l'ouvrage à faire à cette époque de l'année étant peu pressant.

Le temps commence à me paraître long. Depuis la visite d'Élise, je n'ai pas revu Jean, celui-ci n'étant pas venu travailler les deux jours avant la grève. Je tue le temps en contemplant les eaux-vannes. Le seul fait intéressant à noter, c'est leur débit qui augmente graduellement. Pourquoi ?

Cet après-midi, Jean est finalement venu me trouver, mais à un bien mauvais moment : j'éternuais comme quelqu'un qui va rendre l'âme. Il s'est contenté d'un tut ! désapprobateur en me surprenant accroupi au-dessus de la bouche d'égout.

— J'ignore ce que j'ai. On dirait un point au poumon droit.

— Mon pauvre Soly ! Tu te laisses gruger par ton travail.

Son reproche ne m'a pas paru sincère, tellement il m'a semblé lointain, désabusé.

— Élise est venue te voir ? a-t-il demandé par pure formalité.

J'ai fait signe que oui ; il n'a pas insisté.

— Tu n'es pas venu travailler les deux derniers jours avant la grève ? ai-je demandé, voyant qu'il ne disait rien.

— Je me fais vieux.

— Vieux, toi ? Tu n'as même pas quarante ans !

— L'âge, c'est sans importance ! Je suis las, écoeuré de travailler, et c'est mon rêve que je gruge pour survivre.

— Que veux-tu dire ? ai-je demandé, perplexe.

— L'argent mis de côté pour le voyage, je le dépense.

— Veux-tu bien me dire ce qui t'arrive ? Tu sais, je peux t'aider.

— C'est trop tard.

— Trop tard !

— Mon rêve, il a crevé, comme une bulle de savon

violacée. Ce que je mettais de côté, mes dettes le mangeaient un jour ou l'autre. Je ne travaillais même pas pour un rêve, mais pour mes créanciers.

— Je t'aiderai, ai-je insisté. Il est défendu de mourir quand on exerce un métier aussi essentiel.

Le regard pénétrant, Jean m'a fixé.

— Soly, j'ai tout abandonné. Il ne me reste que le travail : mon seul souci sera d'améliorer nos conditions. Tant qu'à être pris dans l'engrenage, mieux vaut huiler le système, l'huiler si bien qu'il va tourner, tourner, tourner si vite que je ne sentirai plus que je suis un mollusque qui ne contrôle pas sa coquille.

Les propos de Jean m'ont rendu triste et aigri. Ces maudits financiers, qui ont tué son rêve, vont-ils me ravir le seul confident que j'aie jamais eu ?

— Je peux sûrement te tirer de là, l'ai-je assuré.

— Peut-être pas, mais si tu voulais...

— Voulais quoi ?

— Tu viendrais nous aider à construire un barrage dans la conduite maîtresse des égouts.

— Mais..., ai-je bredouillé, sidéré à l'idée de perturber les entrailles de la Ville.

— Soly, fais-le pour moi, m'a-t-il imploré.

— C'est criminel !

— Qu'est-ce qui a le plus d'importance : la Ville ou l'amitié ?

— Il y a des amitiés qui conduisent au crime.

— Il ne faudrait pas exagérer ! Est-ce un crime de construire un barrage pour obliger la Ville à améliorer nos conditions ? Lorsque les intestins d'une personne sont malades, on lui donne un laxatif qui, après un malaise passager, lui procurera de plus grands bienfaits.

J'ai participé à la construction du barrage. Depuis, tel un condamné, j'attends le verdict.

Élise est revenue avec de la nourriture. J'étais étendu sur le lit ; je n'ai ni bougé, ni parlé. Elle s'est allongée à mes côtés, m'a caressé timidement et est repartie, laissant des parfums que l'odeur des égouts a vite chassés.

L'avachissement me gagne. J'ai beau passer plusieurs heures à respirer, mes fréquentes quintes de toux m'empêchent de sentir vibrer les entrailles de la Ville.

Jean n'a pas donné signe de vie depuis l'érection du barrage. Pourquoi me délaisse-t-il ?

J'arpente lentement le sous-sol. L'esprit vide, je ne vois que les briques rouges qui décorent les murs de mon appartement. Insolemment, je crois me promener devant une maison sans fenêtres qui m'encercle de partout. Cette étrange sensation me trouble et vite je lève les yeux au ciel où les poutres du plancher ploient sous les nombreuses toiles d'araignées. Dès qu'une mouche s'y empêtre, l'araignée vient libérer sa prisonnière pour la dévorer. Le bourdonnement disparu, ma solitude me cramponne l'estomac.

J'ai du mal à occuper ces heures interminables. Sans le travail dans les égouts, ma vie n'a plus de sens. Jean me manque, ou plutôt son opposition à mes idées. Sans ce stimulant, ma vision des entrailles n'a plus le même piquant. Il y a bien Élise qui m'a rendu une troisième visite, mais elle ne saurait remplacer Jean. Elle est si discrète que je ne sais comment la repousser. Par ma faiblesse, je devine que je me suis compromis.

Plus rien ne semblait capable de m'intéresser lorsque, lundi matin, en faisant mes exercices de respiration près de la bouche, j'ai réalisé que le débit avait beaucoup augmenté. Depuis, je surveille fiévreusement le volume des eaux-vannes qui ne cesse de croître, de couler plus vite, grondant de plus en plus fort, au rythme endiablé de la Ville qui se réveille, prête à enfanter un monstre.

HUITIÈME CYCLE

1

J'ouvris les yeux. La noirceur était telle que je ne distinguais rien. Pourtant, il me semblait qu'il y avait une masse sombre à quelques pouces de ma tête. Complètement désorienté, je crus que mes sens me jouaient un mauvais tour. En toute logique, me répétai-je, il ne peut y avoir quoi que ce soit au-dessus de moi. En même temps que mes yeux s'habituaient aux ténèbres, une odeur forte et inhabituelle pénétrait mes narines. Plus je regardais, plus ce corps sombre devenait réel, ressemblait à une poutre.

Une poutre ! Si près ! Un géant se préparait à me frapper, à m'écrabouiller. Dans un geste d'autodéfense, je repoussai cette masse. À ma grande surprise, de la stupéfaction presque, mes mains heurtèrent une poutre bien réelle, si dure et rugueuse qu'il n'y avait pas à douter. Sous la poussée, le lit tangua bizarrement, inexplicablement. Je recommençai, appuyant avec force pour l'écarter. Quand je lâchai, le lit bondit dans un étrange clapotis et mon front effleura la poutre.

Je mis plusieurs secondes à réaliser ce qui arrivait. Durant la nuit, le niveau des eaux-vannes avait dû continuer de monter, inondant silencieusement le sous-sol et transformant mon lit en une drôle d'embarcation.

Ce fut le premier heurt de mon front contre la poutre qui acheva de me réveiller. Déjà les aspérités du bois

109

me collaient à la peau, m'entraient dans la chair. D'instinct, je me dégageai et poussai le lit entre les deux poutres. Toutefois, les poutres transversales étaient trop rapprochées pour que je puisse me glisser entre elles. Les jambes et le ventre coincés par deux de ces poutres, j'attendis, encore trop surpris pour réagir.

L'eau continuait de monter. Comme le lit ne pouvait plus s'élever, le liquide se mit à l'envahir et commença à me mouiller. Ce contact glacial ne fut rien en comparaison de la terreur qui m'envahit lorsque, voulant bouger pour soulager ma douleur au ventre, je réalisai que la pression était si forte que je ne pouvais remuer.

Ne pouvant plus supporter la pression, je me débattis farouchement. Le corps écorché je me retrouvai hors du lit, immergé dans le liquide infect. Je plongeai et nageai rapidement à l'aveuglette. À bout de souffle, je retrouvai d'instinct le mince espace d'air entre le plafond et l'eau, tassant tout ce qui flottait pour respirer. Je fis d'autres tentatives, gêné par des objets à la dérive. Complètement désorienté, je rencontrais continuellement un mur, même si je changeais chaque fois de direction ; je ne réussissais pas à trouver l'escalier du rez-de-chaussée. J'étais comme un rat surpris par une crue subite au fond de son trou. Paralysé par le danger, j'hésitai longtemps avant de me lancer à corps perdu dans le liquide. Trop traumatisé, je m'épuisai rapidement et dus remonter respirer de plus en plus souvent. Je ne réalisais pas encore que l'espace d'air était plus grand chaque fois.

Lorsque je m'aperçus que l'eau baissait, il était déjà trop tard, car une grande force de succion m'entraînait. Sans trop comprendre ce qui m'arrivait, je nageai en sens contraire. Bientôt, je fus incapable d'avancer, empêtré dans une multitude d'objets qui fonçaient sur moi dans le noir, tels des bolides meurtriers qui me pourchassaient.

Heurté de partout, je ne parvenais presque plus à respirer. C'est avec terreur que je devinai, plus que je ne le vis, l'entonnoir creusé par l'eau s'engouffrant bruyamment dans la bouche de l'égout tout près. Épuisé, je fus trop lent à réagir et le tourbillon me happa. Je fis un tour ou deux, entraîné vers le bas, et mes hanches heurtèrent le couvercle. Sous le choc, celui-ci glissa et bascula dans l'ouverture. Du même coup, je me trouvai coincé et des tonnes d'eau s'abattirent sur moi.

Rapidement, l'entonnoir s'était reformé à côté. Vainement, j'essayais d'y plonger la tête pour aspirer l'air raréfié.

2

Un sifflement strident persistait dans ma tête. Longtemps il me sembla que l'eau coulait, coulait, volant mon air, l'entraînant dans le gouffre. Puis, avec peine, j'écartai les objets qui s'étaient amoncelés sur moi. La sensation de compression continuait de s'accroître maintenant que je pouvais respirer. Pendant plusieurs minutes, je haletai et toussai, l'eau qui sortait de mes poumons disputant la place à l'air qui y entrait.

Lorsque j'eus récupéré suffisamment, je me rappelai ma lutte cauchemardesque. Je me revis, quêtant l'air dans cet entonnoir mouvant. Malgré moi, mon corps se tendait, refaisait les mêmes gestes. Le reste, je ne m'en souvenais plus.

Lorsque je voulus bouger, une douleur aiguë m'arracha une grimace. Coincées douloureusement entre le couvercle et le rebord de l'égout, mes hanches s'y enfonçaient jusqu'aux reins. Avec beaucoup de mal, je parvins à me tirer de cette position précaire et ridicule où, pour un instant, je crus que j'étais Gargantua trônant sur des toilettes immenses.

Épuisé, je restai allongé parmi les débris attirés par la succion de l'eau. Quand je voulus me lever, je dus me traîner, tel un vulgaire limaçon qui laisse sa trace, dans le limon déposé par l'eau. Je réussis à atteindre mon lit, d'où l'eau sortait du matelas, comme d'une éponge. Je me hissai sur cette masse spongieuse et m'y endormis, vaincu par la fatigue.

Quand je me réveillai, une violente quinte de toux me fit la vie dure pendant plusieurs minutes. Je crus que je cracherais mes entrailles. J'eus cependant un moment de répit et je remis en place le couvercle de la bouche d'égout. Ici et là, le plâtre s'effritait. Bientôt, il ne resterait plus que la charpente de ce sous-sol qu'on avait voulu luxueux.

Je fouillai dans les débris attirés par l'égout et dégageai une de mes chaises. Même si elle était gluante, je m'assis et pleurai longuement... de fatigue... d'être en vie... d'avoir été malmené.

3

Un bruit de voix me fit sursauter. Trois personnes descendaient l'escalier.

— Ouf ! ça sent le renfermé.

— L'électricité ne fonctionne plus.

— Les ampoules ont dû se briser.

— Hé ! Fred, apporte-nous des ampoules électriques, ordonna le propriétaire en haussant la voix.

— On croirait pénétrer dans un charnier.

— La Ville devra me dédommager, menaça le propriétaire.

— Auparavant, il s'agit de déterminer s'il y a eu négligence de votre part.

— Comment cela, négligence ! protesta le propriétaire. Personne n'entre jamais dans cette cave, mentit-il.

— Inutile de discuter, intervint une troisième voix. Il faut d'abord constater ce qui s'est passé, comme on l'a fait dans les immeubles voisins. Ce sera rapide, avec cette senteur...

Tels des acteurs montés sur une scène, les trois hommes s'étaient arrêtés au milieu de l'escalier, éclairés par la lumière du corridor.

— Es-tu en train de les fabriquer, ces ampoules ? tempêta le propriétaire.

Personne ne répondit.

— Fred ! grouille-toi donc un peu pour une fois dans ta vie, cria-t-il plus fort.

— Inutile de me bousculer, j'arrive, dit une voix qui se rapprochait. Si vous n'étiez pas aussi près de vos cents, il y aurait des ampoules dans la réserve. J'ai dû dévisser celles du corridor.

— Cesse de rouspéter et fais quelque chose de ton derrière, maugréa le propriétaire.

— Ouille ! c'est chaud. Vous devriez les tenir, avertit l'homme à tout faire.

Muni d'une lampe de poche, Fred s'avança et installa une première ampoule. Brutalement, la lumière surgit.

— Un beau gâchis !

— Je poursuivrai la Ville, confirma le propriétaire.

— Il faudrait plutôt poursuivre les égoutiers. Ce sont eux qui ont construit un barrage, bloquant le collecteur principal.

— Ah ! les salauds ! On devrait les écorcher vifs. Ils

n'ont pas le droit de perturber un service public. On paie pour ça.

Le propriétaire était furieux et il profitait de l'occasion pour se défouler sur des représentants de la Ville.

— Rassurez-vous, justice sera faite. Quant au barrage, il a été emporté.

— La Ville ne s'en sortira pas avec des paroles, je vous assure. Je chargerai un avocat...

Les derniers mots restèrent figés sur ses lèvres. Médusés, les quatre hommes me fixaient, la dernière ampoule m'ayant fait surgir de l'ombre.

— Qui est-ce ? s'enquit un des représentants de la Ville.

Poussé par la colère, le propriétaire s'avança. Assis et complètement immobile, je me protégeais la figure contre la lumière trop crue avec une de mes mains. Mes salopettes étant durcies, j'imagine que je ressemblais à une statue insolente, au garde-à-vous sur son socle. J'aurais voulu rentrer sous terre tant j'étais honteux.

— Veux-tu bien m'expliquer ce que tu fabriques ici ? me demanda le propriétaire, acerbe.

Je ne répondis pas et il devina qu'il pourrait m'accabler.

— Qui t'a donné la permission de t'introduire ici ? Es-tu venu par l'égout, comme les rats ? ironisa-t-il.

Je restai muet.

— Réponds, bon sens, m'ordonna-t-il, impatienté.

Il me saisit le bras pour voir mon visage, mais retira aussitôt sa main, répugné par ce contact. Aveuglé par la lumière, je clignotais des yeux et le regardais comme un chien battu. C'est cet air de soumission qui, je crois, le désarma.

— Que fais-tu ici ? me redemanda-t-il, la voix subitement adoucie.

— J'ai loué le sous-sol, dis-je avec froideur.

Je le vis pâlir.

— Qui t'a donné cette permission stupide ? cria-t-il.

J'hésitai.

— Vous.

Abasourdi, il me dévisagea, me prenant sans doute pour un mauvais plaisant.

— Quand ?

— L'été dernier.

— Et tu es ici depuis ce temps-là ? me demanda-t-il, sceptique.

— J'ai payé le loyer chaque semaine, Jean s'est chargé de donner le montant au concierge.

— Je me rappelle, admit le propriétaire.

Se tournant vers les autres, il ajouta d'un ton entendu, pour essayer de les mettre de son côté :

— Vous savez ce que c'est les hommes qui boivent. Ils n'aiment pas que leurs femmes les voient dans cet état. Je pensais qu'il se cherchait une planque d'occasion pour venir se dessaouler en paix. Je n'aurais pas cru...

Il se tourna vers moi.

— Tu as payé, cette semaine ?

— Non. Mon ami n'est pas venu.

— Les saouleries sur mon compte, c'est assez. À l'avenir, tu iras traîner tes loques ailleurs.

Cette colère était feinte car il était surtout gêné d'avoir à révéler cette location devant les deux représentants de la Ville.

— Je peux vous payer tout de suite, offris-je maladroitement.

— Non, non, objecta-t-il. Nous réglerons ça tantôt.

Un des représentants de la Ville s'avança.

— Que s'est-il passé ? me demanda-t-il.

Je jetai un coup d'oeil au propriétaire et le vis bouillir.

— Je l'ignore, mentis-je. Lorsque je me suis réveillé, la cave était pleine d'eau. La pression a dû être trop forte sur le couvercle. Lorsque l'eau s'est retirée, je l'ai replacé.

— Et vous ne vous êtes pas réveillé avant ?

— Non.

— Vous voyez, il était encore venu ici pour se dessaouler, renchérit le propriétaire, triomphant.

Devenu moins méfiant, l'homme jeta un coup d'oeil sur le couvercle. Le voyant sale, il préféra ne pas le toucher.

— Viens, dit-il à son compagnon. Nous n'avons plus rien à faire dans ce dépotoir.

— Nous aviserons, ajouta-t-il à l'intention du propriétaire.

— Je vous signale que vous n'avez pas le droit de loger quelqu'un ici, avertit l'homme avant de monter l'escalier. Ce n'est pas un endroit salubre. Même les rats...

Lorsque les deux hommes furent partis, le propriétaire me prit par le bras.

— Il ne faut pas croire tout ce qu'ils disent. On comprend, eux autres, leur intérêt n'est pas en jeu : ils travaillent pour la Ville.

Ce revirement me laissa perplexe.

— Si tu replaces tout et nettoies le sous-sol pour le rendre propre, tu pourras rester ici. Je te redonnerai un autre lit. Les chaises, elles sont encore bonnes.

Il chercha.

— Où est passée l'autre chaise ?

Je désignai l'amoncellement de débris près de la bouche d'égout.

— Elle est quelque part sous ces boîtes éventrées.

— Replace tout cela, me proposa-t-il d'un ton paternel. On enverra aux vidanges ce qui ne peut plus servir. Compris ?

Je fis signe que oui, mais le propriétaire ne partit pas.

— Il me semble que tu me dois quelque chose.

— Oh ! excusez-moi.

Je fouillai fébrilement dans mes poches et retirai quelques billets humides. Le propriétaire les saisit et se paya une semaine supplémentaire.

— De même, tu n'auras pas besoin de monter nous payer la semaine prochaine, dit-il avec malignité.

Il secoua les billets pour les assécher.

— Dire que certains pensent que l'argent n'a pas d'odeur.

Le propriétaire tira Fred à l'écart.

— Ce lit-là ? dit l'autre, sceptique.

Ils partirent. Quelques minutes plus tard, Fred m'interpella :

— Hé ! toi, en bas, viens donc m'aider à descendre ton nouveau lit.

Parvenus en bas, mal nous en prit d'assembler cette trouvaille, car le lit était vieux et déboîté. Quant au matelas, c'était les Appalaches en miniature avec des fissures où les ressorts poussaient comme des champignons.

— Ce n'est pas le lit de Louis XV, mais avec la grosse couverture que j'ai laissée en haut, ça va s'aplanir, m'assura Fred. Le patron trouve que c'est trop risqué d'en mettre un meilleur tout de suite. Tu comprends, avec un lit trop bon, on aurait du mal à leur coller que tu viens ici juste pour te dessaouler.

Fred remonta l'escalier et me lança la couverture, si épaisse et rude qu'elle était difficile à déplier.

— Bon ménage ! me nargua-t-il avant de disparaître.

Après m'être décrotté, je fis l'inventaire des dégâts.

La cuisinière fonctionnait encore normalement, c'est-à-dire pas plus mal qu'auparavant. Le réfrigérateur était en panne. Je montai avertir Fred qui dépêcha le réparateur deux heures plus tard. À la vue de ce gâchis, l'homme pesta. Il ne pouvait faire de miracle avec du matériel si mal utilisé. Un réfrigérateur noyé, il aura tout vu. Il réussit néanmoins à le remettre en marche. Restait le téléviseur. Même s'il appartenait à une compagnie de location, il consentit à y jeter un coup d'oeil. En plus du nettoyage, il m'indiqua que la lampe-écran et quelques autres étaient à changer. À son avis, mieux valait le jeter que d'essayer de le réparer. Je lui dis que j'y réfléchirais.

La perte du téléviseur me portait un dur coup. Je ne possédais pas l'argent pour rembourser la compagnie. Je résolus de continuer mes versements mensuels de location par la poste. De cette façon, je serais dispensé temporairement de leur payer un appareil neuf. À bien y penser, le temps perdu à regarder le petit écran pourrait être utilisé autrement, à commencer par un bon ménage de l'appartement.

À mesure que le déblaiement des gros déchets avançait, une étrange sensation me pénétrait. Comme jadis, dans ma barque qui avait paru changée au retour de la nuit de noces, il me semblait que mon local n'était plus le même, au point que j'avais l'impression, après tant de mois, d'y pénétrer pour la première fois.

4

Le travail a repris dans les égouts. C'est Élise, le surlendemain de l'inondation, qui est venue m'en avertir au nom de Jean. À la vue du ravage, elle a été consternée.

Toutefois, j'ai surpris un éclair de satisfaction quand elle a réalisé que le couvercle était en place.

En constatant l'état piteux de mes réserves de nourriture, seules les boîtes de conserve étant récupérables après un lavage à fond, elle a couru chez un dépanneur. La plupart des aliments qu'elle a rapportés étaient dans des pots de vitre, ce qui m'a étonné.

— Du fer-blanc, ça rouille. Des pots de verre, c'est plus hygiénique, m'a-t-elle assuré.

En dépit de mon opposition, elle a ensuite insisté pour faire un grand ménage. Les boîtes et le plâtre ramassés, elle a lavé le plancher énergiquement, puis s'est attaquée au mur de briques où chaque joint a gardé un vestige de vase limoneuse.

Je ne l'ai guère aidée, mon principal souci étant de récupérer les cahiers qui sont en quelque sorte mon journal. Un instant, plein de stupeur, j'avais cru que mes écrits étaient perdus à cause de l'inondation. Par bonheur, presque par miracle, le bureau où ils étaient a flotté sans laisser échapper le contenu. Quelques cahiers ont toutefois été imbibés et l'écriture, tel un squelette qui menace de s'effriter, s'est élargie jusqu'à s'évanouir ou presque, tant le papier et l'encre sont devenus translucides. Dès que j'aurai un moment, je retranscrirai les cahiers, et je frémis à l'idée que tout aurait pu disparaître.

Bien qu'elle soit intriguée de me voir retranscrire ces textes, Élise continue patiemment de nettoyer les briques. Je crois qu'elle est heureuse de ce qu'elle fait. Chaque jour, en plus de mes provisions, elle apporte de nouveaux produits et des bouteilles odoriférantes. Malgré son acharnement, l'odeur persiste. Pourtant, ce soir, même si elle a été particulièrement tendre, elle m'a dit qu'elle renonçait, qu'elle avait lavé toutes ces briques inutilement.

Du côté de mes compagnons, depuis notre retour dans les grands égouts, la situation n'est pas rose et certains sont plus mécontents que jamais. Ils affirment qu'ils ont manqué de veine, faisant d'abord allusion au barrage qui a cédé avant que les négociations aboutissent. De plus, il y a eu ces menaces de représailles de la Ville qui nous pendent au nez, ce qui a jeté la zizanie entre nous, certains ayant eu peur. Pour l'instant, il n'est plus question de grève généralisée.

5

— Bébert !
— Tu n'as pas l'air content !
— Que fais-tu ici ?
— Je venais rendre une petite visite à ce cher Soly.
— Que me veux-tu ?
— Quelle brusquerie !

Le ciel me serait tombé sur la tête que l'effet n'aurait pas été plus brutal. Trouver confortablement assis sur l'une de mes chaises l'homme que j'avais fui pendant tous ces mois, je ne pouvais demander mieux comme émotion. Je fus tenté de refermer le couvercle et de retourner dans les égouts. L'air insolent, un peu bonasse de mon visiteur m'en dissuada.

— Comment as-tu su que j'étais ici ?
— Bébert a des antennes lorsqu'il s'agit de ne pas oublier un vieil ami.

Je le dévisageai, cherchant à deviner les raisons qui le poussaient à venir me dénicher dans mon sous-sol.

— Je ne comprends pas quel intérêt une vieille loque comme moi...

Son regard brilla.

— Des intérêts communs, beaucoup d'intérêts communs ! Tu ne peux pas t'imaginer jusqu'à quel point nous sommes liés tous les deux. Chacun notre tour, nous avons partagé les mêmes plaisirs... les mêmes déceptions...

Les mêmes plaisirs ? Les mêmes déceptions ? Qu'insinuait-il ? Je le soupçonnais de bluffer pour se donner de l'importance. Quel enjeu le poussait à agir ainsi ? Qui était-il vraiment cet homme qui m'avait semblé lié à Mélina comme son ombre et qui apparaissait toujours dans ma vie à un moment crucial, comme poussé par le destin ?

— Soly, je peux t'aider.

— C'est toi qui le dis ! Chaque fois que je t'ai rencontré, je n'ai eu que des désagréments par la suite.

— C'est parce que tu l'as voulu. Si tu avais suivi mes conseils depuis le début, tu te serais évité de nombreux ennuis... Il faut saisir la chance quand elle passe.

— Connaître ma vie à l'avance ! Non, merci. Premièrement, je n'y crois pas ; deuxièmement, ce serait cruel. Tu vois ça d'ici, quelqu'un qui va mourir et qui sait quand. Il serait tellement anxieux qu'il en mourrait d'avance.

— Qui te parle de mourir ? plaisanta-t-il. Il est des événements qu'on peut prévoir et pas nécessairement éviter. Un gars aussi intelligent que toi, Soly, devrait savoir qu'il existe des moyens pour compenser les frustrations de la vie.

— Tes moyens, ou plutôt tes attrape-nigauds, fous-moi la paix avec. Ce qu'il faut, c'est vivre au jour le jour.

— D'accord. Admettons maintenant, par hypothèse, que je connaisse un secret qui permette de décupler le contact d'une personne avec la minute qu'elle vit. Ce serait chouette.

— Je dirais qu'il faut se méfier ! Pour mieux apprécier chaque moment, il n'y a pas de secret qui tienne. C'est avec le temps et l'expérience qu'on y parvient. Pas avec des trucs !

— Que tu es méfiant ! Sache qu'il y a des suspicions qui se retournent contre celui qui les a... Si tu n'écoutes pas ta conscience, à quoi te sert-elle ?

— À m'indiquer que j'aurais eu le choix de me comporter autrement. Si j'agis toujours selon ma conscience, elle risque de s'endormir. Une conscience qui sommeille, ça ne vaut pas cher. Il est nécessaire de la secouer de temps à autre, de ne pas écouter les conseils des amis.

— Ta morale est bizarre.

— J'ai une morale qui me permet de choisir et non de faire ce qu'on me dicte.

Fier de mon raisonnement, je m'étais levé.

— Ma morale t'a assez vu.

— L'intimidation ne mène nulle part.

— Et nulle part on ne trouve autre chose que de l'intimidation. La vie est une montagne d'intimidations et celui qui crie le plus fort est au sommet pendant que ses adversaires mettent de l'huile sur les pentes pour le dégommer.

— Que tu es mystérieux quand tu t'y mets !

— Les promesses de certains, ce sont des escaliers qui ne conduisent nulle part... Si tu veux bien prendre celui qui est derrière toi.

— Bon ! bon ! Puisque tu le prends ainsi, je m'en vais. Mais souviens-toi que je peux t'aider.

En guise de réponse, je lui désignai l'escalier.

6

Bébert est revenu me proposer ses médecines magiques qui agiraient, à l'entendre, comme tremplins. Moi, j'y vois des pièges, des gouffres... Si je cède, je serai aussi inconfortable qu'un soprano sous une cage de verre. J'ai si bien investi mon univers que je ne peux me retirer sans qu'il s'écroule. Par contre, si je désire l'habiter encore mieux, il risque d'exploser.

Élise est effrayée par mes idées de tensions extrêmes et les compare à un caillot qui comprime dangereusement le cerveau.

Hier, pour la mettre en confiance, je l'ai informée des tentatives de Bébert. Elle n'a pas réagi mais, ce matin, à son retour, la bonne humeur transfigurait à ce point son visage que je suis devenu méfiant.

— Soly, nous allons être heureux ensemble, a-t-elle statué.

— Les bonheur est un mot parasite que j'ai tué, ai-je répliqué sentencieusement. Il n'est pas digne d'exister puisqu'il lui manque la tension.

— Ah !

— Il faut éliminer les mots qu'on ne réussit pas à étreindre. Nous entrons dans l'ère du cercle. Tout doit être englobé, maîtrisé. Le doute doit être pourchassé et pendu sur la place publique. Il est primordial de montrer aux gens qu'ils sont pris dans un engrenage sans failles. Chaque personne a un cycle fait à sa mesure. Pour l'une, c'est banal : naissance, un peu de vie et la mort ; pour l'autre, la vie est un effort de dépassement. Mais, dans un cas comme dans l'autre, on ne peut aller nulle part.

— Soly !

— La notion de ~~distance~~ n'existe plus. Nous sommes immobilisés.

— Soly !

— Il faut oeuvrer sous sa cloche ou dans sa bulle. Un faux mouvement et c'est la catastrophe.

Pour m'empêcher de parler, elle a posé ses mains sur ma bouche avec force. À ses yeux, je représente un robot qui dicte froidement la fin du monde, y compris la sienne.

— Soly, l'amour existe. Y as-tu pensé au moins ?

J'ai tenté d'enlever sa main, mais sans grande conviction.

— Soly, tu n'es pas drôle avec tes histoires de bulles et de cloches de verre. Tu joues. Le malheur, c'est que tu crois en ton jeu. Tu t'enfermes dans ta coquille et tu dis que les autres n'existent plus. L'égout cosmique et tout le bataclan, c'est un masque que tu te mets pour effrayer les gens. Je ne suis pas dupe, du moins plus maintenant. Derrière le masque, c'est toi qui as peur ; tu as peur d'être confronté à d'autres et d'être victime de leurs manigances... Soly, l'amour existe encore et je suis venue te le dire.

Mon visage est resté de pierre.

— L'amour est une rencontre qui permet de sortir de soi pour aller vers un autre ou, pour parler comme toi, de percer sa bulle. Mais ton malheur, c'est d'avoir été le seul à sortir. Compromis, tu t'es retrouvé dans une position aussi inconfortable qu'un astronaute naufragé dans l'espace. Il se débat dans le vide qui l'entoure, inconscient de fabriquer lui-même dans son scaphandre le gaz carbonique qui l'asphyxiera. Ses idées de génie ne sont que l'effet trompeur des gaz qui l'emportent... Pourtant, il y aurait une solution, un remède à toutes ces frontières qui t'étouffent.

Peu désireux d'écouter davantage son sermon, j'ai

baissé la tête. Élise s'est tue et a sorti un étui à cigarettes de son sac à main. Elle en a allumé une, a inspiré lentement et me l'a tendue.

— Soly, il faut fumer le calumet de paix avec ton passé.

— Non, merci, je ne fume pas, ai-je ironisé.

— Ce n'est pas une cigarette ordinaire ! a-t-elle protesté, agacée.

— Toi aussi ! ai-je dit avec dédain.

— Si tu n'as jamais essayé, comment peux-tu ?...

— Qu'est-ce que c'est ? ai-je demandé sèchement, sachant pertinemment la réponse.

— Un sorcier ne révèle pas le secret de sa potion magique, a-t-elle dit, impatientée.

— Le sorcier qui refuse de le faire est un charlatan !

— Fume.

— Qu'est-ce que c'est ? ai-je insisté.

— Une force qui te libérera de ton passé et fera de toi un autre homme.

Je l'ai saisie et secouée.

— Arrête de tourner autour du pot. Si tu as un brin d'honnêteté et une once d'estime pour moi, dis-moi ce que c'est.

Elle n'a pas répondu. Déçu et frustré, je lui ai serré les bras.

— Brute ! Tu n'es qu'une brute ! Il ne reste de toi que la brute qui se débat sans savoir où est son bien.

— Avoue ! avoue ! ai-je ragé.

Ma main, malgré moi, l'a giflée.

— C'est de la mari, a-t-elle avoué faiblement, essuyant les larmes qui inondaient sa joue rougie.

— De la mari ! Ah oui !

Je n'ai plus été maître de mes mains. Pour échapper à mes coups, elle a reculé jusqu'à l'escalier où elle s'est effondrée en pleurs.

— Si tu reviens avec d'autres cochonneries comme ça, je te chasserai. Entends-tu ? Je te chasserai, pour de bon.

Je me suis rendu à la bouche d'égout. D'un geste sec, si sec que je me suis écorché les doigts, j'ai soulevé le couvercle et j'ai inspiré profondément cette senteur grisante.

NEUVIÈME CYCLE

1

La grande tension que j'ai supportée au cours de ces derniers jours est maintenant disparue. En ouvrant la bouche d'égout, la lumière s'est faite dans mon esprit et j'ai compris pleinement le sens des récents événements. Pour avoir perturbé le fonctionnement de ses entrailles, la Ville m'a puni en inondant mon sous-sol. Ma faute est expiée. Désormais, j'en suis convaincu, tout ira bien, tant et aussi longtemps que j'assurerai le développement et l'épanouissement des égouts.

Il y a une ombre au tableau. C'est ma respiration. Depuis un bout de temps, j'ai des problèmes ; mais à présent, c'est vraiment ennuyeux. Pendant des heures, j'ai cru que les entrailles de la Ville me boudaient. J'ai finalement compris qu'il s'agit du fardeau que je devrai porter à l'avenir pour me rappeler à tout instant ce qu'il en coûte de perdre confiance quand on détient un tel secret.

2

Vendredi soir, j'eus la visite inattendue de Mélina. Au moment où j'écris ces lignes, je n'en suis pas encore remis.

Vêtue d'un élégant manteau de chat sauvage, qui n'était pas sans me rappeler la belle femme que j'avais connue, Mélina descendit lentement l'escalier, dans l'apparat d'une princesse qui, craignant de soulever la poussière ou de troubler la misère, entre doucement dans un taudis. Un instant, elle fut tentée d'enlever son manteau, mais elle se ravisa.

— Brrr ! C'est frais ici. Il n'y a pas à dire, tu dois bien te conserver...

Elle huma l'air.

— Qu'est-ce que c'est cette drôle de senteur ?

Je ne répondis pas. Inconsciemment, je la regardais, cherchant un détail qui me prouverait qu'elle avait changé. Par le manteau entrouvert, je vis que son ventre, jadis plat, même creux au nombril, était légèrement bombé. Cette découverte me fit un petit velours. Déjà, malgré tout ce qu'elle dirait, je savais qu'elle aussi n'avait pu échapper au temps et à ses ravages.

— Tu n'es pas très accueillant... C'est sans doute pour cette raison que tu te terres pour éviter tes semblables.

— Si tu ne te plais pas ici, rien ne t'empêche de repartir.

— Le comité de réception n'a guère changé depuis que je t'ai connu à Percé. La différence, c'est que tu ne caches plus ton vrai visage derrière une belle musculature et un travail soigné... Cette façade qui m'a trompée n'était que le résultat de l'habitude. Tu n'étais qu'un automate bien dressé !

— Si tu es venue pour me faire du mal, je te rappelle que c'est frais ici et que tu risques de t'enrhumer.

— Toujours aussi maladroit ! Tes supposées bonnes intentions sont encore aussi déplacées.

— C'est de ta faute aussi. Si tu avais été sincère, mes efforts auraient...

— J'ai pourtant voulu être heureuse avec toi. J'avais tout quitté à Montréal pour aller refaire ma vie sur une base plus solide.

— Avec des muscles de pêcheurs, par exemple !

— Tu es pas mal mesquin. Laisse-moi être franche avec toi.

— Franche ?

Connaissait-elle la portée de ce mot ?

Décontenancée de se voir mise en doute, Mélina me fixa quelques secondes, manipulant nerveusement un des boutons d'apparat de son manteau.

— Je ne suis pas venue ici avec l'intention d'attraper un mal de tête, dit-elle avec un début d'animosité. Je t'en prie, laisse-moi être franche pour refermer définitivement les cicatrices que notre union nous a laissées.

— T'a laissées !

— Si je t'avais choisi, c'est parce que je te croyais différent des autres, continua-t-elle, résolue à ignorer mes interruptions. Je voulais m'unir à un homme énergique que la Ville, avec toutes ses manigances et facilités, n'aurait pas corrompu. J'ai cru que tu travaillerais beaucoup, comme un forcené même, lorsque, pour la première fois, je te ferais découvrir de nouvelles possibilités... J'ai été déçue.

— Parce que tu as été une exploiteuse, coupai-je sèchement.

— Maintenant, tout est fini. Il est inutile de réveiller le passé. Il ne nous reste qu'à rendre cette séparation officielle aux yeux de la loi.

Mélina tira de son sac à main un document plié avec soin.

— Tu n'as qu'à signer cet acte de demande de divorce. C'est à ton tour de couper ce dernier lien qui est de toi.

Je repoussai le document. Comme un coup de

massue, il me rappelait trop celui de Trois-Rivières où elle avait tout machiné pour m'obliger à vendre ma maison de Percé.

— Il n'y a pas à dire, tu es prête à n'importe quoi pour oublier et te donner bonne conscience, dis-je avec arrogance.

— Lorsqu'on échappe un mouchoir neuf dans la boue, on le ramasse.

— On aura beau le nettoyer, il en restera toujours... D'ailleurs, je me demande si le mouchoir était vraiment neuf...

— Là n'est pas la question ! Je veux reprendre toute ma liberté. Je suis arrivée à toi libre, je veux repartir libre.

— Et si je ne voulais pas ?

— Quel bénéfice en retirerais-tu ? demanda-t-elle, embarrassée par mon hypothèse.

— Aucun. C'est pourtant toi qui es venue me trouver à Montréal, au moment où j'étais en mesure de t'offrir ce que tu aurais voulu, pour me dire que tout était fini, que je n'avais plus droit au bonheur et que je devais vivre avec mon échec. Maintenant, c'est à ton tour de passer par là. En vivant dans la misère, j'ai trouvé le secret de la vie. À toi maintenant d'en faire autant.

Ignorant ses vives protestations, je continuai, décidé à aller jusqu'au bout.

— Toute libération trop facile est un leurre, parce qu'on recommence dès que l'échec précédent est oublié. Ce qu'il te faut vraiment, c'est abandonner le type de vie que tu mènes. Cet acte de divorce n'aura plus aucun sens lorsque tu te seras affranchie des causes réelles de ton malheur.

Au risque de me contredire, je ne résistai pas au plaisir presque sadique de l'empêtrer dans les arguments qu'elle m'avait jadis servis. Mélina essaya longuement de me raisonner. Dépitée et la voix éraillée, elle s'en retourna finalement avec son document immaculé.

3

L'insolence de Bébert dépasse les bornes. Il se permet de venir me relancer au travail. Mes compagnons, déçus par la tournure des négociations avec la Ville, se montrent intéressés par les drogues qu'il nous propose. Par instinct, je résiste à ses offres, craignant trop d'être séparé de mon emploi en me laissant attirer par ses promesses, plus merveilleuses les unes que les autres.

Cette sollicitation m'inquiète. Je trouve que Jean attache trop d'importance à ces supposées médecines. Bien que nos relations soient restées froides, je ne saurais être indifférent à son sort puisque, maintenant que j'ai retrouvé un but à mon travail, je crois qu'il va redevenir mon ami.

Pourtant, le temps passe et Jean reste distant. Je suis déçu de constater qu'une sympathie s'installe entre lui et Bébert. Dans le fond, je devrais m'en réjouir puisque, depuis que le manège dure, Bébert me harcèle moins.

Ce répit m'a permis de mettre au point un moyen de défense assez original, compte tenu du fait que je dois ménager Bébert, ne sachant pas jusqu'où pourraient aller ses représailles. Ainsi, lorsqu'il me rend visite chez moi, je m'approche imperceptiblement de la bouche d'égout, ce qui me fait tousser. Bientôt, ma toux devient si virulente que j'en cracherais mes poumons. Ne pouvant me parler, Bébert est bien obligé de s'en aller. Ce truc a l'air si réel qu'il lui arrive de s'apitoyer sur ma santé. C'est vraiment un trait de génie que de transformer ma faiblesse en une barrière infranchissable, et cela grâce aux égouts.

4

Comme Jean tardait trop ce matin, je me rendis seul dans le collecteur où nous avions commencé jeudi le curage, à l'aide de grands râteaux, du limon accumulé depuis l'hiver. Cette opération demande de la patience et de l'habileté, le courant gênant nos manoeuvres.

À mon arrivée dans le collecteur, je toussai de plus belle, mon organisme s'habituant mal à cette odeur différente. Puis, de la passerelle, je raclai systématiquement le fond de la conduite.

J'étais absorbé par mon travail quand j'entendis Jean approcher en chantonnant, contrairement à son habitude. Je fus agacé lorsque je remarquai qu'il traînait nonchalamment son râteau derrière lui et qu'il marchait comme un automate. Arrivé près de moi, il se mit au garde-à-vous.

— Soldat Fortier. Commando de la Saleté. Présent !

Je vis que son regard était fixe et je crus que cela faisait partie du jeu. Curieusement, il restait au garde-à-vous.

— Au travail, soldat Fortier, ordonnai-je, impatienté.

— Pas si vite ! protesta-t-il. Il serait criminel de brusquer celui qui vient à peine de naître.

— Je te signale qu'ici ce sont les limbes. Ta naissance est donc ratée, ironisai-je.

— Paix, mon frère ! Les propos démesurés ne mènent nulle part. Nous sommes dans l'ère où chacun de nous a raison.

— Tu vas recevoir mon poing dans la face, si tu ne commences pas à travailler tout de suite, menaçai-je.

— Mon frère, tes paroles te trahissent. Tu ne t'es pas encore alimenté au baume de la vie.

— Si mon frère prétend venir dans les égouts en touriste, il se met le doigt dans l'oeil.

Je le pris par le bras et le reconduisis de force jusqu'à l'endroit où le limon n'avait pas encore été délogé.

— Arrange-toi pour rattraper le temps perdu. On ne va tout de même pas laisser les égouts s'encroûter comme de vieilles artères.

Songeur, Jean s'appuya sur son râteau.

— Il y aurait sûrement un meilleur remède pour mettre fin à ce vieillissement perpétuel. Ce serait si beau si on pouvait leur donner une seconde naissance... Il va falloir que j'en parle à Bébert.

Ce nom me fit sursauter.

— Fréquente Bébert si tu veux, mais n'ose jamais le mêler à la vie dans les égouts.

Je regardai Jean dans le blanc des yeux pour être bien compris, mais je dus détourner le regard tellement je devins mal à l'aise devant ses pupilles fixes.

— Jean, tu es un traître, sifflai-je entre mes dents. Tu as pris de la drogue ? Avoue.

Je le secouai.

— Si tu as renié ton emploi, tu seras puni. Comptes-y.

Comme il ne répondait toujours pas, je ramassai mon râteau et me remis à la tâche, maugréant contre ce retard dû à la conduite inconcevable de mon coéquipier.

Jean plongea finalement son râteau dans les eaux-vannes. Le choc du courant fut tel qu'il chancela. Il reprit pourtant son équilibre et ratissa le fond du collecteur avec maladresse, le râteau zigzaguant au gré du courant.

— Imbécile ! grommelai-je. Il n'y a pas assez que tu sois en retard. Il faut maintenant que tu fasses tout de travers. À te voir agir, on te prendrait pour un novice.

Jean se retourna et posa péniblement son râteau sur la passerelle.

— L'homme qui vient de naître a tout à apprendre, car il ne peut prétendre tout connaître en invoquant son âge comme preuve. Soly, j'ai retrouvé la juste mesure...

La juste mesure ! C'était plutôt la goutte qui venait de faire déborder le vase. Je déposai mon râteau et m'approchai, les mains sur les hanches.

— Veux-tu bien m'expliquer ce qui ne va pas ?

— Je t'assure que tout va bien, si bien que j'aurais le goût d'exécuter des cabrioles. C'est plutôt toi qui as l'air drôle avec ta mine de croque-mort.

— Tu es stone ! C'est ça ?

Je ramassai son râteau.

— Va-t'en, dit Jean, soudain pris de panique.

Je lui tendis le manche du râteau.

— Va-t'en, insista-t-il.

Il recula en chancelant. Je m'approchai de nouveau.

— Je veux te donner une chance de te reprendre. Un moment de faiblesse, ça arrive. Maintenant, il est temps que tu te retrouves.

Je tendis de nouveau le manche à distance, emmenant ainsi les dents du râteau près de moi sans avoir remarqué l'objet immonde qui y était resté accroché. En le sentant, je fus irrité par son odeur forte. Je me mis à tousser et râler, au point que mes genoux se dérobèrent. Sans doute effrayé, Jean recula et bascula dans le purin. Le cri strident qu'il poussa me parut ridicule en regard de cette senteur âcre qui me faisait cracher mes poumons et m'embuait les yeux. L'idée m'effleura à peine de lui tendre son râteau pour lui venir en aide. Mes éternuements furent si violents que mes idées chavirèrent. C'est presque avec indifférence que j'entrevis Jean qui se débattait gauchement dans le courant qui l'emportait. Dans le fouillis de mes pensées, une idée s'imposa : je n'avais pas à agir, les égouts étant en train de punir Jean pour sa conduite.

Quand je parvins à maîtriser ma quinte de toux, je fus étonné par le silence qui m'entourait. Je ramassai mon râteau et continuai à ratisser le fond du collecteur. J'avais une confiance aveugle dans le réseau des égouts, puisqu'il était le principe même de la vie. Les entrailles de la Ville ne pouvaient lui faire aucun mal. De même que les égouts m'avaient laissé la vie sauve après avoir inondé mon sous-sol pour me châtier, de même ils rejetteraient Jean après lui avoir donné sa leçon.

Un cri de consternation, venu du collecteur principal, me fit sursauter. Pendant plusieurs minutes, des appels pressants furent lancés, ce qui sembla donner lieu à beaucoup d'animation. Puis le silence revint.

Un peu plus tard, j'entendis des bruits de pas qui se rapprochaient. De loin, je reconnus la silhouette imprécise de Tohu Bohu à moitié perdue dans les vapeurs qui montaient du liquide. Je continuai à ratisser minutieusement le fond du collecteur. Lorsque les pas cessèrent, je me retournai. Tohu Bohu était tout près, me regardant avec intérêt, à la fois stupéfait et soupçonneux de me voir travailler.

— Où est Jean ? demanda-t-il.

— Est-ce que je sais ? Suis-je responsable de tous ses faits et gestes ?

— Où est Jean ? insista-t-il.

— Il est parti pour pas longtemps et m'a laissé son

râteau. Je crois qu'il ne se sentait pas trop bien. Si c'est pour l'ouvrage qui va être en retard... J'utiliserais volontiers deux râteaux, mais le courant est trop fort.

— Il ne t'est pas venu à l'idée de l'accompagner ? me reprocha-t-il. Qu'est-ce que tu fais du règlement ?

— Il ne me l'a pas demandé. Il voulait aller marcher plus loin pour se remettre, mentis-je.

— Il y a combien de temps ?

— Environ une demi-heure.

— Et tu ne t'es pas inquiété depuis ce temps-là ?

— J'ai pensé...

— Au lieu d'agir...

Tohu Bohu secoua la tête.

— C'est ça ton erreur. Maintenant, il est trop tard... Jean s'est noyé.

5

Comment est-ce possible ? Comment ? Comment les égouts ont-ils pu être aussi cruels ? Comment la décomposition, qui est à la source de la vie, a-t-elle pu donner la mort ?... Pourtant, Jean est mort, bien mort.

Il me semble que le mur de briques rouges de mon sous-sol va s'embraser ; c'est sans doute l'effet de la colère sourde qui gronde en moi. Par moments, je voudrais me révolter. Pourquoi ai-je eu la vie sauve après l'inondation ? Pourquoi Jean est-il mort si bêtement ? Et je regrette, regrette, regrette tout. De ne pas être parti à son aide. De n'avoir pas su être son ami ces derniers temps...

Vraiment, je ne peux m'expliquer ce qui est arrivé. Les idées les plus folles me traversent le cerveau. Peut-être les égouts le trouvaient-ils indigne. Peut-être Jean ne voulait-il pas réellement leur bien. Peut-être ne travaillait-il que pour l'argent... Mais il fallait bien qu'il règle ses dettes !

Plus je cherche un sens à sa mort, moins je parviens à démêler ce réseau inextricable où pataugent mes pensées. La seule constatation dont je puisse être certain, c'est la perte de mon unique confident. Sans cet ami, qui me serait sans doute revenu, je pressens que je ne pourrai plus communiquer à quelqu'un d'autre mes découvertes. À moins que mon journal... Qui donc aurait la patience de lire ces cahiers ? Combien de découvertes se sont ainsi perdues faute de confidents ? Combien ? Les jambes me manquent ; je vois devant moi un long tunnel noir où je dois m'enfoncer, condamné à marcher seul, tel un automate, pour essayer de me rendre jusqu'au bout.

6

Ce qui m'arrive est incompréhensible. Ce matin, Fred, le concierge, m'a apporté une carte postale. Comme je n'ai jamais eu de courrier depuis que je suis ici, j'étais sceptique quand il m'a remis la carte. J'ai examiné un instant le paysage exotique d'une grande beauté qui y était reproduit. Puis j'ai retourné la carte. Une balle m'aurait traversé le corps, le choc n'aurait pas été plus grand. Mon regard est resté rivé sur l'estampille. San Felicidad ! Oui, San Felicidad. La lettre, cela m'a crevé les yeux, avait été oblitérée à San Felicidad. Du coup, j'ai cru à une mystification diabolique. Mais la carte m'était bien adressée, à moi, Soly Topier. Sur le côté gauche, quelques phrases ont été griffonnées à la hâte.

Cher Soly,
J'imagine ton étonnement quand tu recevras cette carte.
Mon rêve s'est enfin réalisé. Avec l'aide des amis que tu
sais, j'ai manigancé la supercherie qui m'a permis de
m'échapper. La vie est merveilleuse ici et défie toutes les
descriptions. Je t'invite à venir me rejoindre dès que
tu le pourras. Je t'attends.

Ton ami

Le choc que je ressens est si fort que j'en ai des
sueurs, des sueurs de satisfaction, d'extase presque. À
l'insu de tous et alors que la situation semblait désespérée, je suis le seul à savoir que Jean a réussi. Je suis si
nerveux que je dois déposer la carte, ma main tremblant
trop pour que je puisse examiner ce qu'elle représente.

Déjà, mon imagination vagabonde et je vois des
palmiers majestueux, d'un vert très vif, qui m'invitent
à venir me blottir dans la fraîcheur de leur ombrage. À
travers la rangée de troncs, j'accède à la grève sans fin
où le soleil pose ses rayons sur le sable chaud et blond
qu'humectent de longues vagues paresseuses qui n'en
finissent plus de mourir. À l'arrière, dans la végétation
luxuriante, la musique des insectes gorge l'air d'un or-
chestre aux dimensions de la nature. Les fleurs multico-
lores frémissent sous la brise qui parfume son haleine
avant de courtiser les narines des habitants de l'île. Le
charme est si enivrant que les esprits chavirent et ne
savent plus quel est, de l'azur ou du couvert des plantes,
leur royaume.

Sur un quai, Jean, torse nu, les pieds ballants
caressés par le clapotis des vagues, hume l'air frais du
large, une liqueur aphrodisiaque à la main. Ce sont ses

yeux qui m'attirent, m'aspirent par leur éclat débordant, leur profondeur incommensurable. À côté, les étoiles nappant le firmament sont de ternes joyaux sans souverain pour les animer. Sur ses lèvres court un sourire discret, indéfinissable, un ravissement difficilement contenu. Son être se transfigure, vibre dans la mélodie des lieux. Je le sens léger, translucide, volatile au point que je ferme les yeux pour conserver intacte l'image de cette vision fugitive.

Lorsque le spectacle de Jean dans son île s'est confondu avec les murs ternes de mon appartement, j'ai voulu regarder de nouveau la carte postale. Je l'ai cherchée à l'endroit où je croyais l'avoir déposée, mais je ne l'ai pas retrouvée...

DIXIÈME CYCLE

1

Mes compagnons de travail et un inconnu s'avancèrent, tenant chacun les instruments qui leur étaient tombés sous la main : truelle, pic, câble, marteau.

J'eus tôt fait de comprendre, en ce lundi matin, qu'ils me réservaient un mauvais parti. J'eus peur et me retournai, prêt à fuir. Hélas ! je tombai nez à nez avec Alby qui arrivait par derrière, le râteau tendu comme un sabre.

— Où cours-tu comme un lièvre ? me demanda-t-il.

— Je ne cours pas, protestai-je nerveusement. Je voulais juste voir qui arrivait par en arrière.

— Ce n'était pas nécessaire de t'approcher pour me reconnaître, me nargua Alby. Tu es trop nerveux. Avoue que tu n'as pas la conscience tranquille.

— Je n'ai rien fait, protestai-je.

— C'est justement ce qu'on te reproche, intervint Reggie avec force.

— Tu étais responsable de la sécurité de Jean, précisa Tohu Bohu.

— En Grèce, on pou-punit de mort, renchérit Caddy, frappant avec un marteau sa main crevassée.

— Puisque je vous dis que je n'ai rien fait, insistai-je.

Le pic de l'étranger heurta le sol avec fracas. Je sursautai. Pendant plusieurs secondes, personne ne parla. Seules les nombreuses chutes souterraines, qui tombaient comme autant de guillotines, peuplaient le silence. Un frisson d'effroi me traversa l'échine.

— Soly, on ne veut plus t'avoir avec nous, dit Alby.

Je tressaillis, ne sachant quel sens donner à ces paroles. Allaient-ils me lyncher ?

— Pourquoi ? demandai-je avec l'air apitoyé de quelqu'un qui ne se sent plus sûr de rien.

— Nous avons discuté longtemps entre nous et nous sommes convaincus que tu es responsable de la mort de Jean... responsable par négligence !

— Mais Jean n'est pas mort ! protestai-je, les yeux allumés d'espoir.

Leurs regards s'emplirent de colère.

— Tu nous prends pour des fous ? marmonna Alby.

— Je vous assure que Jean n'est pas mort, protestai-je de nouveau. Il vous a mystifiés.

— C'est ça, i-i nous p-pend co-comme des f-fous, mâchouilla Caddy.

Jean n'aurait sûrement pas voulu que je leur dévoile son secret, mais j'étais acculé au pied du mur.

— Jean est rendu dans l'île de San Felicidad, avouai-je. Il m'a même envoyé une carte postale pour me dire que tout allait bien.

— Et en plus i-i se fout de nous, bafouilla Caddy.

— Il faudrait nous la montrer, ironisa Alby. Nous aussi on aime ça les cartes postales. N'est-ce pas, les gars ?

Ils l'approuvèrent si chaleureusement qu'il était évident qu'ils se payaient ma tête.

— Croyez-le ou non, il m'a écrit.

— Bien sûr, bien sûr, approuva Alby, feignant grossièrement de me croire. Vous entendez ça, les gars ?

Monsieur Topier reçoit du courrier de l'autre côté. Ça doit être terriblement intéressant. Je suppose que sa sainte Félicité a chargé saint Pierre de lui envoyer un ange pour porter cette missive céleste.

— Un ange ? Plutôt un chérubin, corrigea Reggie. Un ange aurait bien trop craint de se salir en entrant dans les égouts.

La colère m'étranglait, car j'étais incapable de les convaincre. Je dévisageai hargneusement Alby, le soupçonnant de les avoir montés contre moi.

— Je vous montrerai la lettre qui prouve que Jean est rendu à San Felicidad, proposai-je, espérant ainsi les calmer.

— Nous avons une bien meilleure preuve, contesta Alby, cueillant leur approbation unanime du regard. Nous, nous avons le corps.

— Je ne l'ai pas vu !

— Puisqu'on te dit qu'on l'a !

— Ce n'est pas possible ! bredouillai-je. Vendredi, j'ai d'abord cru Tohu Bohu lorsqu'il m'a annoncé que Jean s'était noyé mais, depuis, j'ai reçu sa carte.

— Tu dis que tu l'as reçue depuis. Quand ? demanda Tohu Bohu.

— Hier.

— Hier ! Mais c'était dimanche ! Depuis quand y a-t-il du courrier le dimanche ? Les gars, y a-t-il du courrier le dimanche ?

— Non, dirent-ils, s'avançant d'un pas.

Mes jambes devinrent de guenille. J'ai si peu la notion du temps depuis que je suis égoutier que je n'avais pas songé à ce détail.

— Peut-être que le concierge l'avait reçue avant, bredouillai-je à tout hasard.

— Regardez donc notre politicien patiner, se moqua Alby. Un vrai flot de paroles dans un désert d'idées.

Je sentis le mur graisseux coller à mes vêtements. Mes mains glissèrent sur cette surface visqueuse.

— Inutile de vouloir aller plus loin, persifla Alby. Les murs, à l'avenir, c'est à peu près la seule chose qui ne te fuira pas.

Les autres gloussèrent.

— Marc est le nouvel employé engagé pour remplacer Jean, mais il ne fera pas équipe avec toi, ni aucun de nous. Si tu veux encore travailler dans les égouts, tu devras le faire seul. Et compte-toi chanceux. Si on n'avait pas été en négociations avec la Ville, on t'aurait dénoncé.

— Dénoncé pour quoi ? m'enquis-je, les défiant.

— Pour la mort de Jean.

— Jean était indigne de travailler ici et les égouts l'ont tué.

Cette bravade lancée, je voulus me dégager. Ils me repoussèrent rudement contre le mur. J'en devins fou de rage et, peu importe les coups que je recevrais, j'avais résolu de me venger. Je m'arc-boutai contre le mur et bondis brusquement, décidé à précipiter Reggie, qui se trouvait en face, dans le purin. Il devina et s'esquiva. C'est moi qui plongeai dans le purin. J'émergeai rapidement, recouvert d'immondices, essayant de cracher ce que j'avais avalé dans ma colère. Je me mis à tousser, perdis pied et disparus sous la surface. La dernière chose dont je me souviens, c'est d'un râteau que j'agrippai désespérément.

Quand je repris conscience, j'étais seul. Je vomis comme un enragé et toussai à rendre l'âme pour me débarrasser de cette crasse. Complètement dégoûté par ce qui m'arrivait, je me rendis en chancelant à la buanderie des égoutiers. Les deux employés de service me reçurent froidement et m'avertirent que Cloutier viendrait me rencontrer jeudi, jour de la paye.

Sans entrain, je retournai à mon travail. Pour la première fois, je fis tout de travers, me contentant de déloger le limon et la vase selon les caprices du courant. Je m'arrêtai souvent, aux prises avec des quintes de toux provoquées par le liquide que j'avais avalé à la suite de mon plongeon dans le purin. J'étais transi de part en part, chaque pore suant pour rejeter les excréments dont se gorgent les entrailles de la Ville.

2

En rentrant chez moi, mon attention se porta sur la mousse blanchâtre qui gangrenait le mur de briques depuis plusieurs jours et cela me donna la nausée. Malgré ma fatigue, j'empruntai une des brosses du concierge et me mis à frotter pour faire disparaître cette moisissure. C'était loin d'être facile, car les taches verdâtres pénétraient loin dans l'argile. Je n'avais jamais vu cette mousse avant l'inondation.

Pendant que je brossais, le propriétaire descendit dans le sous-sol. C'était sa première visite depuis l'inondation. Il inspecta sommairement les lieux, puis m'apostropha :

— Tu es un maudit salaud !

J'en échappai ma brosse.

— À cause de toi, mon écoeurant, la Ville ne veut pas me payer les dommages. Elle dit que les couvercles sont assez résistants pour ne pas céder à la poussée des eaux. Je commence à croire qu'Elle a raison. La senteur infecte qu'il y a ici, par ta faute, tu vas la faire disparaître, sinon c'est moi qui vais te faire disparaître de la seule façon qui te convient : par les égouts.

La voix du propriétaire était d'autant plus mordante qu'il venait sans doute de prendre connaissance de l'avis de la Ville et qu'il n'avait pas résisté à l'envie de se défouler sur le seul coupable à ses yeux. En furetant plus loin, il se rendit compte que le couvercle de l'égout, près du lit, était retiré.

— Mon maudit écoeurant ! Tu vas me le replacer tout de suite, rugit-il en me désignant le couvercle.

Je rougis. Par habitude, j'avais oublié de remettre le couvercle à sa place. Je bredouillai des excuses et obéis. Mais une bouffée de cette haleine chaude me saisit traîtreusement à la gorge. Je toussai si violemment que je crachai du sang.

Lorsque je pus respirer plus librement, je réalisai que le propriétaire était parti. Cependant, je me souvenais qu'il m'avait dit de me considérer d'ores et déjà expulsé, à moins que je le dédommage entièrement.

3

Mercredi, ce fut la soirée des visites. Pour un homme que tout le monde devait fuir, je fus particulièrement gâté.

Il y eut d'abord Mélina avec sa demande de divorce. Je fis semblant de ne pas l'entendre pour ne pas être obligé d'argumenter avec elle.

Mon mutisme fit fondre toutes ses résolutions d'arrangement à l'amiable. Pour mettre un comble à sa fureur, je saisis ma brosse. Je repérai les briques déjà frottées et m'appliquai à faire disparaître les nouvelles taches de moisissure qui avaient succédé à celles que j'avais enlevées. Tout le vocabulaire vulgaire qu'elle connaissait y passa, mais trois briques brillèrent de propreté.

Mélina partit en furie, au bord d'une crise de nerfs. Bien que mon attitude semblât cruelle, cette expérience me persuada que le meilleur moyen de s'éviter des ennuis était de jouer l'absent. De cette façon, la personne qui m'assaillait se sentait comme un arbre solitaire que la foudre frappe au centre d'une clairière. L'arbre se consume d'abord avec force, l'air alimentant librement le feu de chaque côté. Pourtant, cette flambée passée, sa solitude le sauve, car la chaleur se disperse vite, l'empêchant de se consumer davantage. Il brûle alors à petit feu, incapable de transmettre aux autres arbres les braises qui forgent des creusets dans ses entrailles.

4

Trois quarts d'heure plus tard, ce fut Élise qui dévala l'escalier, vêtue seulement d'un pantalon blanc, évasé dans le bas, et d'une blouse jaune très seyante, qui en faisait presque un soleil de gaieté. Elle avait laissé son manteau et ses bottes au vestiaire du rez-de-chaussée pour être plus à l'aise. Dans ses cheveux brillaient des gouttes d'eau, vestiges de la neige fondante qui tombait, annonçant que le printemps arriverait enfin, chassant cet hiver qui durait depuis plusieurs mois, tel un mal blanc qui refusait de partir.

Elle vint droit vers moi, dans le léger froufrou des jambes de son pantalon, ce qui jurait avec le martellement de ses souliers sur le ciment.

Pour la narguer, je saisis ma brosse et frottai une nouvelle brique toute blanche de mousse, comme si le frimas de l'hiver s'y était installé. Élise se planta derrière moi, frappant le sol de deux coups de talon, simulant une jument qui piaffe d'impatience.

— Bonjour, dit-elle.

Je ne répondis pas.

— Je t'ai dit bonjour.

Je ne bronchai pas.

Elle me toucha l'épaule et me secoua.

Pris de colère, je me retournai vivement, décidé à la défigurer d'un coup de brosse. Elle para le coup et me fit une prise de judo, ou quelque chose du genre, qui m'envoya choir lourdement sur le dos. Abasourdi et le souffle coupé, je n'osais la regarder. Elle me défiait, les jambes bien écartées et frémissantes, tout son corps mince arc-bouté pour le prochain assaut.

— Tu étais plus féminine quand tu parlais comme un moulin à vent, trouvai-je la force d'ironiser.

J'étais avant tout soucieux de laisser paraître le moins possible l'affront que je venais de subir. Pour garder, au moins en apparence, toute ma dignité, je frottai une tache imaginaire sur le sol. Cet effort m'épuisait, car j'avais trop de mal à respirer. Les questions affluaient dans ma tête. Y avait-il eu une révolution à l'extérieur ? Les mœurs avaient-elles changé à ce point ? Les femmes étaient-elles devenues toutes-puissantes ? S'amusaient-elles à faire culbuter leurs maîtres d'hier à la manière des chattes qui jouent avec une souris estropiée, accordant un ultime sursis à la condamnée sans annuler pour autant son exécution ?

— Soly, tu es exécrable ! Tu t'ingénies à détruire tous ceux que tu rencontres. Quand tu étais pêcheur, tu fouillais la mer sans vergogne pour lui arracher ses poissons, telle une manne qui t'aurait été due. Quand tu as épousé Mélina, tu n'as recherché que ton plaisir, sans songer aux conséquences de tes abus. Maintenant ? Maintenant, tu refuses de lui redonner sa liberté, par simple mesquinerie, j'en suis sûre. Tu enfantes le malheur de tes dix doigts, oui, de tes dix doigts, et tu ne te rends même pas compte de ce que tu fais. Soly, c'est la perdition qui est en toi. Mélina n'a eu qu'un tort, ne pas te laisser à Percé, où tu te serais détruit toi-même, seul.

— Tu mens ! Tu mens, vieille sorcière, criai-je en me relevant et en marchant vers elle, menaçant.

— Soly, je t'avertis, ne pose pas tes sales pattes sur moi. Je suis allergique aux monstres.

La colère m'aveuglait tellement que je ne pus éviter son croc-en-jambe. Je butai contre le mur si fort que mes vertèbres en craquèrent. Étourdi, je m'affalai le long du mur, les yeux sauvages d'effroi aux pieds de cette tigresse.

Elle me laissa récupérer, apitoyée par la petite toux sèche qui me secouait comme des sanglots.

— Soly, écoute bien ce que j'ai à te dire, commença-t-elle au bout d'un moment. Tu dois comprendre que tout est fini pour toi. Tu as usé jusqu'au dernier lien qui te permettait de communiquer avec les hommes. On t'a passé une foule de caprices, en espérant que ce serait temporaire. À présent, il va falloir que tu te débrouilles tout seul. Sinon, tu vas mourir de faim, dans ton trou. Je gagerais même que tu n'es pas sorti renouveler tes provisions depuis la mort de Jean.

Je fis signe que oui, car je me sentais battu.

— Je changerai, dis-je. D'ailleurs, ne vois-tu pas que je suis en train de débarrasser les briques de leur moisissure pour que le local redevienne accueillant ? suppliai-je.

Cette idée m'était venue comme un éclair et déjà j'y croyais.

— Pour qu'on t'accepte de nouveau, il va falloir que tu donnes des preuves, de très bonnes preuves, puisqu'il n'y a plus personne qui te croit.

De voir qu'elle mordait, contre toute attente, m'inquiéta. Avait-elle mijoté un plan avec Mélina ?

— Pour que tu aies une chance qu'on te croie, il faudrait même commencer tout de suite.

— C'est-à-dire...

— Libère Mélina aux yeux de la loi. Sinon, c'est cinq ans qu'il lui faut attendre.

— Jamais ! Quand je prends un engagement, je le respecte. L'officiant qui nous a mariés a dit que je devais être fidèle, peu importe ce qui arriverait. Je n'ai pas su lui donner le bonheur, laisse-moi au moins la chance de lui être fidèle dans le malheur.

— Tu es méchant, méchant ! cracha-t-elle. On devrait t'enfermer. Tu es plus dangereux qu'un criminel. Tu es un monstre, un monstre !

— Tu devrais te regarder d'abord, briseuse de ménages !

— J'ai mes torts, rétorqua-t-elle, mais je devrais te réduire en bouillie, même si je n'ai pas tes gros bras.

— Tu es déjà assez dangereuse sans ça, persiflai-je.

— Si tu veux rester malheureux, c'est ton affaire, mais aie au moins la loyauté de libérer Mélina. S'il y a jamais eu quelque chose de sincère entre vous, rends-lui sa liberté en souvenir de ce moment.

— Elle est la première à blâmer et c'est toi-même qui me l'as affirmé. Souviens-toi. C'est elle qui est venue à Montréal pour me dire qu'elle était malheureuse et que je n'avais plus droit au bonheur.

— Que tu es malhonnête ! coupa-t-elle sèchement. Tu ne retiens que ce qui te plaît pour mieux faire souffrir les autres. Pour une fois, aie donc le courage d'affronter la réalité au lieu de te replier encore sur toi.

— Si Jean n'avait pas cédé, il serait encore parmi nous, lui fis-je remarquer malignement.

— C'est plus fort que toi. Tu ne peux cesser une minute de te comporter comme un robot de la logique.

— Puisque tu as le front de m'accuser d'être un robot de la logique, j'aurais dû t'expulser dès que tu as mis les pieds ici.

— Mais tu n'aurais pas pu, ironisa-t-elle amèrement.

— Ne me pousse pas à bout. Ton petit jeu de femme forte...

Je crois qu'elle fut tentée de me mettre au défi, mais elle préféra tourner les talons.

— Tu n'es qu'un monstre ! cria-t-elle en montant l'escalier.

En un rien de temps, elle enjamba les marches deux par deux.

5

Une heure plus tard, c'était au tour de Bébert. Son arrivée ne m'empêcha pas de continuer à nettoyer mes briques le plus calmement du monde.

Sans paraître vexé par mon accueil, Bébert enleva son manteau de tweed brun, découvrant sa chemise mauve dentelée de blanc, drôlement excentrique. Nulle goutte d'eau ne brillait dans ses cheveux, la neige ayant cessé. Toutefois, ses bottines à semelles épaisses en caoutchouc étaient barbouillées de raies blanches toutes fraîches, ce qui prouvait que le trottoir était recouvert de sloche.

Je me surprenais à le détailler et il me semblait presque que je le voyais pour la première fois.

— C'est Mélina qui t'envoie, je suppose ? demandai-je.

— Depuis quand ton ami Bébert a-t-il besoin de quelqu'un pour lui indiquer ce qu'il a à faire ? répondit-il en guise de boutade.

— Que me veux-tu ? insistai-je avec un brin d'animosité.

— Tu ne crois pas que c'est plutôt toi qui as besoin de moi ? répliqua-t-il, l'air malin.

Tu es toujours là lorsque je ne sais plus où j'en suis, fus-je tenté de lui répondre, mais je pressentis que c'eût été une maladresse.

— Je ne t'ai rien demandé, dis-je.

— Peut-être... Mais tes relations sont devenues désastreuses. Même Cloutier...

— Cloutier ?

Je crois que j'ai blêmi.

— Oui Souviens-toi. Je suis toujours bien placé quand il s'agit de retrouver des relations. À tout homme ne faut-il pas un témoin ? Sinon, quel intérêt aurait sa vie ?

Je n'étais pas d'humeur à entamer une nouvelle discussion. Je me mis alors à tousser.

D'abord conciliant pour cette toux importune, Bébert perdit vite sa douceur coutumière et loua ironiquement mon ingratitude, ma mesquinerie, mon étroitesse d'esprit et toutes mes qualités de ce genre. Je ne saisissais guère la portée exacte de ses invectives, mes accès de toux brouillant tout. Je devinai pourtant qu'il passait aux menaces, ce qui acheva de me dégoûter.

6

Le jour de la paye, je fus tenté de m'absenter. J'aurais ainsi eu le temps de nettoyer plusieurs briques de mon sous-sol et mon lavabo qui ne cesse de jaunir. Quand le robinet est resté fermé longtemps, l'eau sort jaune. Si je la laisse couler un certain temps, l'eau paraît blanche. Toutefois, c'est le lavabo qui jaunit. Je dois me résigner à frotter sans cesse ou à boire de l'eau jaune.

Je me présentai à mon poste et fainéantai jusqu'à l'heure de la paye. Comme prévu, Cloutier m'attendait.

— J'aurais quelques questions à te poser, me dit-il. Viens, on va aller à mon bureau pour être plus tranquilles.

Je devais le suivre, même si l'idée de sortir à l'extérieur m'effrayait.

La lumière du jour m'aveugla dès que je mis le pied dans la rue et mes paupières s'emballèrent, prises de panique devant ce nouvel ennemi. Puis, en cours de route, ma toux se déclencha, ce qui ne fut pas sans étonner Cloutier. Mes malaises s'atténuèrent seulement dans son bureau.

— J'ai appris, avec consternation, la mort de Jean Fortier, ton équipier, commença-t-il. J'ai ouvert une enquête et quelques faits m'intriguent. J'aimerais que tu me fournisses certaines précisions.

D'un léger signe de tête, j'indiquai que j'étais disposé à coopérer, puisqu'il le fallait.

— Pourquoi n'es-tu pas venu à l'aide de ton compagnon ?

Cloutier avait durci sa voix, indiquant par là que l'interrogatoire réel avait commencé et qu'il était prêt à m'acculer au pied du mur.

— Parce que nous n'étions pas ensemble à ce moment-là, répondis-je.

— Et que fais-tu du règlement ? Vous êtes tenus de travailler deux par deux. Les dangers sont trop grands dans les égouts pour laisser un homme besogner seul.

— Vous devez comprendre qu'il y a des occasions où il est impossible de suivre le règlement à la lettre.

— Admettons, concéda Cloutier. Pourtant, même si tu ne l'as pas vu tomber, ce que je ne mets pas en doute pour le moment, tu as sûrement entendu le bruit de sa chute dans le purin. Je sais, par expérience, qu'il y a beaucoup d'écho. Donc, le sachant parti, il était de ton devoir d'accourir au premier bruit insolite.

J'approuvai du regard.

— As-tu entendu un bruit quelconque ?

— Non...

— Non ?

Il était évident que Cloutier ne me croyait pas.

— J'ai pu tousser à ce moment, affirmai-je.

— Ah ! ah ! Le chat sort du sac. Monsieur néglige sa santé.

Déjà, il savourait sa victoire.

— Que fais-tu des règlements ? cria-t-il.

— Il ne vous arrive jamais de tousser ? objectai-je.

— Pas au point de rendre l'âme, comme tu as failli le faire en venant ici. Tu vas aller prendre une radiographie pulmonaire et venir me montrer les résultats d'ici une semaine, sinon...

— Sinon ?

— Sinon, ne pense plus qu'on va te laisser ton emploi. Je ne tiens pas à devoir expliquer une deuxième mort à mes supérieurs.

Cet ordre me mettait dans de beaux draps, mais je parvins à ne pas trop le laisser paraître.

— Il y a cependant une chose que je ne m'explique pas, continua Cloutier. Pourquoi Ted Bolduc t'a-t-il trouvé en plein travail, alors que ton compagnon venait à peine de se noyer ? Sa vie ne t'intéressait pas plus que ça ? Si c'est vrai, c'est de la négligence criminelle.

— J'étais parti à sa recherche, mentis-je. Lorsque j'ai entendu leurs voix, j'ai deviné qu'il était mort et je suis retourné à mon poste.

Cloutier parut songeur. Une nouvelle toux me saisit et dura longtemps. Cloutier en fut à la fois effrayé et apitoyé.

— Va immédiatement chez un radiologiste, m'ordonna-t-il dès que je repris mes sens.

Je n'eus plus la force de contester, les yeux rivés sur les gouttes de sang qu'il y avait au creux de ma main.

7

J'étais effrayé par les démarches qui m'attendaient. Nerveux, fiévreux, je me rendis à l'hôpital Notre-Dame. Le retour au soleil fut encore plus cruel, mes yeux irrités pleurant au point de m'aveugler au milieu de la circulation intense. Un chat sauvage se serait senti plus à l'aise rue Sherbrooke.

Au coin d'une rue, une auto m'éclaboussa copieusement de sloche. Puis plusieurs autres firent de même, le feu venant de passer au vert. Je me revis, avec consternation, la nuit où une auto remplie de jeunes gens m'avait arrosé de cette façon, profitant du fait que j'étais saoul.

Maintenant, était-ce toute la Ville qui se liguait contre moi ? Tant bien que mal, je me réfugiai entre deux escaliers où une très violente quinte de toux m'obligea à m'agenouiller. Je crachai du sang dans la neige sale et une impression pénible d'écrasement transforma chaque accès de toux en un véritable supplice. L'air semblait une charrue qui se frayait un chemin dans ma trachée mise à vif.

Des passants vou urent m'aider mais, d'un signe de la main, je leur indiquai que je me débrouillerais seul. Lorsque je me relevai, je vis tout comme à travers une buée, les êtres et les véhicules semblant se mouvoir dans une gelée qui engluait chacun de leurs mouvements.

Je toussais encore. Je marchai aussi vite que je pus, glissant continuellement sur le trottoir glacé. Tout ce qui m'entourait me déconcertait ; le décor semblait appartenir à une autre civilisation, à une civilisation qui n'avait pas encore inventé sa carapace pour se protéger, de sorte que les gens en étaient réduits à patauger dans une matière gélatineuse pour survivre.

À la clinique externe de l'hôpital, je fus reçu avec froideur, mon apparence ne payant pas de mine. La secrétaire à qui je m'étais adressé était débordée de demandes. Elle me fit remplir une petite carte bleue, puis m'orienta vers le service de radiologie, semblant me reprocher ma lenteur à comprendre. Là, une jolie technicienne me fit prendre une position ridicule et me demanda d'inspirer profondément. Je trichai un peu, craignant de provoquer une nouvelle quinte de toux. Au bout de quelques secondes, la technicienne me dit que tout était terminé. Je n'aurais qu'à repasser dans une semaine pour connaître les résultats.

En sortant, je fus littéralement foudroyé par une autre attaque. Au prix d'un effort coûteux, j'avançai d'une centaine de pas en titubant, craignant follement que quelqu'un s'avise de me reconduire à l'hôpital. Effort bien inutile dans le fond, car j'avais parsemé le trajet d'un chapelet de caillots de sang.

Je trouvai néanmoins le courage d'arrêter à l'épicerie du coin pour renouveler mes provisions, car je n'avais rien mangé depuis la veille. Arrivé au sous-sol, je dévorai une tranche de jambon froid, qui sentait l'ail, et un morceau de pain rassis. Ensuite, j'attendis, anxieux, craignant à tout moment de voir des infirmiers venir me chercher.

Deux heures passèrent avec une lenteur scandaleuse. Un projet germa pourtant. Pourquoi n'utiliserais-je pas le même truc que Jean pour partir ? Ce serait sans doute le seul moyen d'échapper à ceux qui se liguaient contre moi et qui s'apprêtaient à me pourchasser partout sans répit.

Pendant des heures, je revis l'île de la carte postale, reconstituant le climat, la végétation, l'aspect du sol, de la mer et enluminant le décor de détails exotiques. L'idée me vint d'aller vérifier sur la carte postale de Jean. Une fois de plus, je la cherchai en vain. Je ne m'explique pas sa disparition et je me demande parfois si elle a vraiment existé.

8

Le lendemain matin, lorsque je me suis présenté au travail, après avoir passé la nuit à rêvasser à des projets insensés, Tohu Bohu m'accueillit froidement et m'avertit que j'étais indésirable jusqu'à nouvel ordre. Sans doute voulait-il dire jusqu'à jeudi prochain. J'ai décidé d'obéir.

J'ai passé la semaine à frotter le mur de briques, y faisant des progrès sensibles, même si j'ai été obligé de recommencer certaines briques pour chasser de nouvelles taches blanches, un mal semblant les gruger de l'intérieur.

À m'occuper ainsi, j'ai presque oublié tout le sang que j'ai craché lors de ma sortie et je suis surpris que ce malaise ne se soit pas reproduit.

Tôt jeudi, je me suis rendu à la clinique externe de l'hôpital Notre-Dame et je me suis présenté sous un nom d'emprunt. J'ai failli être démasqué, la secrétaire trouvant que j'avais l'air malade. Elle m'a même invité à subir un examen médical. Puis elle m'a pressé d'aller avertir mon ami du très grave danger qui le menaçait. Elle n'a pas voulu en dévoiler davantage mais, à sa réticence, j'ai compris qu'un mal intérieur terrible me rongeait et que mes jours étaient comptés.

Cette nouvelle stupéfiante m'a laissé sans réaction. Sans doute le choc trop grand m'a-t-il paralysé, au point que j'ai paru blasé.

Passant par l'épicerie, j'ai regagné mon sous-sol, à peine conscient de la distance parcourue. Ensuite, je me suis rendu au bureau de Cloutier et je lui ai dit que je n'avais pas encore obtenu les résultats de ma radiographie pulmonaire. Pour donner plus de vraisemblance à mon mensonge, j'ai blâmé la lenteur de ce service, lui faisant même croire que les radiologistes faisaient une grève du zèle. Puis je me suis plaint des problèmes financiers qui m'attendaient si ma suspension était prolongée.

Cloutier s'est assurément douté de ma supercherie. Il m'a cependant proposé un marché. Je peux reprendre mon poste, mais il augmente la retenue sur mon salaire pour compenser les risques qu'il court. Bien sûr, c'est un marché de dupes. J'ai néanmoins accepté, une impulsion incontrôlable me poussant à retourner dans les égouts.

La première journée a été longue. Mon irritation pulmonaire, soulagée par cette absence d'une semaine dans les égouts, est revenue avec force et j'ai craché du sang.

À mon retour, un avis du propriétaire m'attendait. Il me réclame un premier versement pour le dédommager des pertes qu'il a subies lors de l'inondation. J'ai décidé de ne pas céder tout de suite à ce chantage. J'ai dit « pas tout de suite » car, avec ce qui m'arrive, il ne peut plus être question de voyage. Il va falloir que je change mes plans, et vite.

ONZIÈME CYCLE

1

L'annonce de cette maladie, dont j'ignore jusqu'au nom, a provoqué une explosion sourde qui a tout saccagé en moi. Je réalise, dans mon désarroi, que la vie est vertigineusement compliquée.

Soucieux de me protéger contre ce qui pouvait m'atteindre de l'extérieur, il ne m'était jamais venu à l'idée que mon corps était rongé de l'intérieur. Les barrières que j'ai installées ne délimitent, en définitive, que deux zones de pourriture.

Cette prise de conscience a été cruelle. Bien que je refuse d'admettre ce qui m'arrive, je devine que mon attitude ne changera rien à la situation. La différence entre la vie et la mort est parfois si mince qu'il est préférable de croire que l'on est vivant. La veille, on se pensait en bonne santé ; le lendemain, on est prisonnier des tentacules de la mort.

Mes jours sont comptés, je le sais. Tout va maintenant se précipiter et je serai incapable d'arrêter cette course fatale. Je me suis engagé dans une sorte de goulot qui m'entraîne sans merci vers le bas. J'aurai beau regarder le ciel, toujours je m'enfoncerai.

Le choc est terrible. Cette maladie m'a vraiment pris au dépourvu. Toutefois, je refuse de croire que la situation est désespérée. Il est impossible que j'aie travaillé inutilement aussi longtemps. La plus élémentaire justice me crie que tant d'efforts ne doivent pas aboutir à rien.

Il est trop tard pour explorer de nouvelles voies. Ma seule chance de trouver une porte de sortie, c'est d'approfondir le rôle de l'égout pour l'Homme, jusqu'au fiel si nécessaire, pour en découvrir les possibilités ultimes.

Je n'ai plus le choix. Seule une foi aveugle dans la portée prophétique de mon travail peut encore me sauver ; ce n'est que la mort qui m'arrêtera. Je suis déjà fort de l'énergie considérable que j'ai investie dans les égouts et, bien que ma santé soit définitivement compromise, je me dois de triompher malgré les apparences.

2

Décidément, je ne comprends rien aux femmes. Après mon engueulade avec Élise il y a plus d'une semaine, j'ai cru que c'était terminé entre nous. Mais non, elle est revenue, plus suave que jamais. J'ai du mal à reconnaître en elle celle qui a poussé l'affront jusqu'à me défier physiquement. Elle n'a fait aucune allusion à notre dernière dispute. Elle s'est plutôt préoccupée de ma santé, croyant que je ne mange pas assez. Elle a offert de cuisiner pour moi à l'occasion. J'ai refusé. Elle m'a grondé gentiment et m'a remis deux nouveaux pots de fèves au lard. Je n'aurai qu'à réchauffer le contenu en y ajoutant de la mélasse pour rehausser le goût.

Élise prétend que mon local est devenu malsain depuis l'inondation, une trop grande humidité s'étant incrustée dans les murs. La meilleure protection consisterait à garder le moins de nourriture possible pour éviter qu'elle se détériore et affecte ma santé. Même le couvercle des pots de vitre n'est plus sûr. Étant donné les circonstances, elle s'est engagée spontanément, avant de partir, à les renouveler régulièrement.

En dévissant le couvercle d'un des pots, j'ai été surpris qu'il ne fasse pas « pop ». Le goût des fèves au lard était fade et inhabituel. Ma maladie en est rendue au point où mes papilles gustatives me jouent des tours. J'ai suivi le conseil d'Élise et j'ai ajouté une généreuse portion de mélasse. Le goût douteux s'en est trouvé effacé.

Quelques heures plus tard, Mélina est venue me trouver. Une fois de plus, Élise et elle avaient planifié leurs visites pour éviter de se rencontrer chez moi, du moins je le suppose. Je l'ai reçue froidement et je me suis abstenu de tousser, dans la mesure du possible. Sa requête en divorce m'a paru ridicule et négligeable en regard de mon projet de découvrir jusqu'où l'égout conduira l'espèce humaine. Cela crève les yeux que nous ne sommes pas sur la même longueur d'onde, nos soucis étant différents de nature. Mélina espère reconquérir rapidement sa liberté en regard de la loi tandis que mes préoccupations rejoignent le principe même de la vie.

Mélina n'entend pas renoncer. Pour perpétuer l'effet de sa présence, elle m'a donné sa photo luxueusement encadrée. Maligne comme elle est, je la soupçonne d'avoir soudoyé le photographe en usant de ses charmes pour qu'il fasse essai sur essai afin de trouver l'angle qui l'avantagerait le mieux.

J'ai été tenté de détruire, sous ses yeux, ce portrait insolent de fraîcheur et de beauté, mais je me suis retenu, lui disant, avec un sourire ironique, que le cadre ferait un bon appui pour mes livres. J'ai poussé l'insolence jusqu'à lui demander si elle en avait un deuxième pour les soutenir de l'autre côté. Instruite par ses précédents échecs, elle n'a pas réagi.

Après son départ, je me suis approché de la bouche d'égout, me frictionnant les mains de satisfaction. Déjà, j'oublie la présence de ce portrait dont les yeux rieurs suivent chacun de mes mouvements. Je préfère le frémissement de l'eau, qui gronde sous mes pieds, tel un monstre affamé, et me pénètre de sa présence troublante.

3

Depuis la dernière visite de Mélina, la résolution que j'ai prise de percer le mystère des réseaux d'égouts, qui sont apparus avec la civilisation humaine, m'accapare. Seules les menaces du propriétaire ont failli déranger mes plans. Pour le calmer, j'ai décidé de payer.

Avec comme fond sonore le tumulte des eaux-vannes qui passent sous le sous-sol, j'entame des réflexions intenses, à la recherche de l'insaisissable secret, d'autant plus insaisissable que j'ignore à quoi il ressemble. Ces efforts soutenus, joints à ma maladie, m'épuisent vite. Je passe parfois par des transes fiévreuses au cours desquelles j'ai l'impression d'effleurer la solution. À la dernière minute, elle m'échappe, comme quelque chose qui commence à la limite de mes capacités intellectuelles.

Aussitôt, je reprends ma réflexion et recrée la concentration extrême qui régnait au moment où tout s'est embrouillé dans mon cerveau. Point par point, je décortique le mécanisme des égouts et le schématise pour mieux le comprendre.

Les égouts sont le ventre de la Ville. La terre et les conduites forment une couche protectrice qui rend possible leur fonctionnement continu, sinon perpétuel. Même le froid de l'hiver le plus rigoureux n'est pas un handicap, des stations de chauffage étant installées sur certaines conduites importantes pour les empêcher de bloquer à des points stratégiques. Tout est prévu, tout doit fonctionner, tout fonctionne.

Pourtant, dans les entrailles de la Ville, là où je suppose que la vie commence, j'ai perdu la santé. Qu'est-ce qui a bien pu se passer ?

Comme je ne trouve pas de réponse, des doutes vertigineux me guettent. Mais j'ai confiance que l'égout est un principe vital pour la société. L'Homme n'a pu se tromper depuis des millénaires.

Pour m'encourager, je me dis que les résultats seront proportionnels à mes tentatives. Plus mes raisons de douter seront grandes, plus mes chances de succès seront bonnes, car je serai obligé de fouiller davantage le problème pour trouver la solution. De même que le fait de m'être heurté à une vie dangereuse dans les égouts m'avait poussé à continuer à y travailler, de même la situation présente me fournira l'énergie nécessaire pour réussir.

Malgré cet espoir, je ne peux m'empêcher de penser que je suis ici, dans les égouts, comme ces travailleurs d'Asbestos, de Thetford, de Black Lake, que l'amiantose pourchasse jusqu'au salon familial et qui ne veulent pas arrêter de travailler, la mort déjà en eux.

Mes phases de découragement surmontées, je me remets à la tâche, cherchant pourquoi la découverte du principe même de la vie me donnerait la mort. La présence d'un réseau d'égouts m'a toujours paru essentielle. N'est-ce pas grâce à ce réseau que j'ai découvert que l'Homme se copiait inconsciemment ? Les cerveaux électroniques sont des répliques de cerveaux humains ; les systèmes de ventilation imitent nos poumons et les coupoles que l'Homme projette de mettre sur les villes sont des carapaces qui joueront un rôle identique à celui de la peau. Tout est agencé pour construire un milieu où les conditions seront idéales, réduisant ainsi l'effort et les contraintes au minimum.

Je reviens toujours au même point. Malgré la nécessité des réseaux d'égouts, une faille s'est produite. Est-ce là l'indice que l'Homme, lorsqu'il aura terminé de se reproduire, sera le dieu impuissant du monde qu'il aura créé, un autre problème ayant surgi, plus gigantesque que les précédents et insoluble ?

Cette possibilité démoniaque m'effraie. Cependant, depuis des heures, elle se précise, au point qu'elle est devenue l'unique objet de mes préoccupations.

Quel est donc ce mal immense, à l'échelle de l'univers ? À quoi sert l'écale d'une noix si l'amande est gâtée ? À quoi sert la pelure d'une pomme si le coeur est pourri ?

Malgré ces mesures protectrices que la nature a prévues, un mal ronge tout. Mais quel est donc ce mal, bon Dieu ?

Brusquement, je me suis revu à Trois-Rivières et tout le dégoût que cette ville m'avait inspiré m'est revenu. Pendant quelques minutes, j'ai été incapable de penser, sidéré par la vision de ce cimetière de la forêt, déguisé en bois de pulpe, qui souillait l'air et l'eau de son immense, incontrôlable pourriture.

Puis j'ai compris subitement que la pollution est ce mal qui ronge tous les efforts de l'Homme, telle une lèpre que le progrès cultive avec lui et qui se chargera d'effacer toute trace de notre civilisation florissante. Oui, l'Homme est en train de tout reproduire à son image, mais il s'asphyxiera dans son propre scaphandre, prisonnier de sa pollution.

Un moment, dans mon trop grand optimisme, j'ai espéré qu'il y aurait, au-dessus de ces forces polluantes, une superstructure qui pourrait, par des mutations profondes, créer du nouveau. Mais cet espoir futile s'est vite estompé. L'Homme est un être beaucoup trop dangereux, qui ne sait pas consommer. Il ne recherche que son plaisir, inconscient des conséquences désastreuses de ses gestes. Dans la situation actuelle, tout effort vers un pseudo-mieux-être n'est qu'un leurre qui pourrit chaque vie.

Cette impasse où me conduit l'égout cosmique instauré par le genre humain me donne la nausée. La vie n'est pas un cul-de-sac temporaire, mais un trou, un gouffre, un abîme, où l'humanité s'enfonce dans sa trop grande insouciance, recouverte par ses propres détritus qu'elle n'arrive plus à éliminer.

Une grande colère s'est emparée de moi et j'en veux aux gens comme Mélina qui se comportent en touristes dans la vie. Ils consomment effrontément, insouciants des germes de pollution qu'ils sèment à tout vent, et ils condamnent, par le fait même, les êtres besogneux qui pourtant se limitaient à leurs besoins réels.

Ce reproche est vain. Que Mélina ait existé ou non, le problème aurait été le même. Dans mon impuissance à lutter contre ce cancer mondial, une colère sourde m'étreint et se retourne contre Mélina qui me fixe de ses yeux rieurs. Mes membres tremblent, ont soif de vengeance. En m'obligeant à vivre dans la misère, c'est elle qui m'a amené à percer le malheur de l'humanité, détruisant mes espoirs. Pourquoi ? Pourquoi ne m'at-elle pas laissé dans ma vie rustre de pêcheur, avec mon bonheur, relatif certes, au lieu de me pousser à exiger plus de la vie ? Pourquoi ?

Mes muscles tressaillent de colère. Mes doigts sont moites et se crispent. Mon stylo grince, crache. Une envie folle me pousse à détruire celle qui a déclenché en moi cette réflexion sur les égouts, ce vaste trou noir où j'ai culbuté, sans deviner qu'il se refermait sur moi.

Longtemps j'ai arpenté le sous-sol, heurtant le ciment à m'en blesser le pied, espérant chasser par la douleur cette vision maladive du monde où je croupis, où nous croupissons tous, victimes de la technologie moderne, qui jette de la poudre aux yeux pour mieux camoufler le désastre qu'elle engendre. Un jour, un jour, le rideau se déchirera.

Près de moi, les objets se sont déformés et ont pris des formes monstrueuses. Le bruit assourdissant surgi de l'égout me fait vaciller. En m'approchant de l'ouverture, son haleine nauséabonde m'a saisi à la gorge. Terrassé par un accès de toux, j'ai craché du sang. Ses grands yeux rieurs se sont moqués de ma déconfiture. J'ai saisi le cadre et l'ai fracassé sur le ciment. J'ai piétiné les débris, lançant des cris inaudibles.

DOUZIÈME CYCLE

1

La nuit dernière, je n'ai pas cessé de rêver à Mélina. Elle errait dans la Ville, marchant sans but. De temps à autre, elle heurtait un passant. Ce dernier grommelait ou s'excusait, selon son humeur, puis lui lançait un regard de reproche ou de pitié.

Son manteau de chat sauvage, étoilé d'éclaboussures et à moitié déboutonné, s'ouvrait sur une robe de satin, froissée et retroussée sur ses cuisses par un fil. Elle n'avait mis qu'un gant. L'autre pendait à l'une de ses poches. Son sac à main, entrouvert et sali, avait tracé un inutile fil d'Ariane sur les automobiles stationnées. Elle semblait incapable de se voir, son visage démaquillé disparaissant sous ses cheveux ébouriffés que le vent rabattait continuellement vers l'avant.

Une bousculade plus violente que les précédentes la tira de sa torpeur. Elle resta un moment figée en reconnaissant l'édifice du Club Astro. Elle décida d'entrer.

Le portier fut très surpris.

— Vous ? Ici !

Elle passa outre, sans le regarder.

— Vous ne devriez pas.

Il la saisit par le bras. D'un geste brusque, elle se dégagea.

— C'est pour votre bien...

— Je sais où sont mes intérêts, coupa-t-elle sèchement. J'ai soif. Conduisez-moi à une table.

Gêné par sa tenue, le portier la guida jusqu'à une table à l'écart, puis dit quelques mots au serveur. Ce dernier s'absenta quelques minutes et revint pour la servir.

— Vous désirez, madame ?

— Un gin tonic... ou plutôt un scotch.

Le garçon de table était déjà parti lorsqu'elle se ravisa. Ennuyé, il revint pour être certain.

— Vous disiez ? demanda-t-il poliment.

— Un double whisky.

— Vous en êtes sûre ? insista-t-il.

— Apportez-moi donc ma double vodka pure, comme je vous l'ai demandé.

— Vous ne m'avez rien demandé du tout, coupa-t-il abruptement. Vous devriez aller faire un tour dehors pour vous remettre les idées d'aplomb.

Mélina ne semblait pas disposée à bouger.

— Allez ! Je n'ai pas de temps à perdre avec des clientes qui ne savent pas ce qu'elles veulent.

— Vous avez tout le temps de me servir, répliqua-t-elle sans broncher. Il n'y a pas dix clients dans le club.

— La porte est derrière vous, l'avertit-il.

— Et où est mon gin tonic, monsieur le guide, vous qui savez si bien où se trouvent les choses ?

— Vous l'aurez cherché, grommela-t-il en s'éloignant.

Le garçon de table ne revint pas avec sa consommation. Pour tuer l'attente, elle pianota sur la table, faisant tinter ses ongles sur le rebord métallique. Impatientée, elle saisit son sac à main et fouilla fébrilement à l'intérieur, jetant pêle-mêle sur la table les objets hétéroclites qui la gênaient. Elle trouva finalement son briquet et ses cigarettes. Nerveusement, elle en alluma une. La première bouffée la calma un peu.

— Je vous connais, vous !

Le patron du Club Astro était devant elle, la dévisageant froidement.

— Les petites dames qui ont des caprices, on leur fait passer ça, menaça-t-il.

— Moi, je devrais me plaindre. Le service est pourri. On ne m'a pas encore apporté mon gin tonic.

— Et votre whisky ! votre scotch ! votre vodka ! À votre place, je filerais d'ici avant qu'il soit trop tard. Même si j'ai déjà fermé les yeux une fois, ne comptez pas que je vais en prendre l'habitude.

— Je veux mon gin tonic, s'obstina-t-elle, haussant la voix.

— Si nous allions discuter de ça dans mon bureau ! Peut-être pourrions-nous nous entendre une fois pour toutes.

Le patron fourra dans le sac à main le bric-à-brac étalé sur la table et la prit par le bras.

— Venez.

Mélina se leva et le suivit. Toutefois, elle se dégagea brusquement et courut vers la porte. Le portier l'arrêta.

— Laissez-moi, laissez-moi, répéta-t-elle, se débattant furieusement.

Les joues empourprées de colère, le patron s'approcha et la gifla.

— Laisse-la aller, dit-il à son employé.

Il se tourna vers Mélina.

— Toi, la garce, ne t'avise plus de remettre les pieds ici !

Le portier empoigna Mélina. Elle lui donna des coups de coude pour se libérer. L'homme lui broya les côtes et, de ses doigts goulus, lui laboura la poitrine. Elle se retrouva dans la rue à bout de souffle, les seins à vif.

Pendant quelques minutes, le pavé dansa sous ses pieds. Elle se ressaisit péniblement, mit de l'ordre dans sa toilette et s'en alla.

— Vous voulez une rose ?

Elle passa outre. La jeune fille se lança à sa poursuite, croyant qu'une femme avec un tel manteau ne saurait lui refuser.

— Vous avez sûrement besoin d'une fleur, d'une belle fleur, pour mettre sur votre corsage, insista la fleuriste. Croyez-moi, mademoiselle, avec une fleur, les hommes ne vous laisseront plus seule un instant ; ils sauront que vous êtes gaie.

La jeune fille s'approcha davantage. En se retournant, Mélina lui écrasa le pied et elles faillirent tomber à la renverse. La surprise passée, la fille retrouva son sourire.

— Une fleur ?...

La jeune marchande n'eut pas le temps d'insister davantage. Déjà Mélina le repoussait d'un geste brusque, comme une mouche importune que l'on frappe avec rage pour s'en débarrasser pour de bon.

— Vous n'avez pas honte ! lui cria une vieille dame indignée.

— On devrait vous enfermer, menaça une autre.

Des piétons la dévisageaient, pleins de désapprobation. Mélina fonça droit devant elle, avec une envie folle de marcher sur ces gens, de les écraser de toute sa haine. Mais, parce qu'elle était une femme, les gens se rangeaient, étonnés de ses bravades.

2

Depuis plusieurs jours, incapable de se libérer de ce mal intérieur qui la poussait partout, Mélina errait dans les rues de la Ville, butant rudement contre les moindres dénivellations du trottoir, les ingénieurs ayant pavé le sol d'embûches. Mais il lui fallait avancer, aller toujours plus loin, se heurter à toutes sortes de sollicitations dont elle n'avait nulle envie.

— Madame, que diriez-vous d'une bonne paire de souliers ? Entrez, nous en avons pour tous les goûts.

— Mademoiselle, encouragez-moi. Achetez un de mes papillons. C'est pour la recherche sur le cancer.

— Un cirage ? Ayez pitié d'un infirme.

— Ma bonne dame, j'ai faim. Donnez-moi vingt-cinq sous pour que je puisse m'acheter une soupe... Je vous donnerai mon paquet de cigarettes.

Et un autre, sans un mot, lui tendait une carte et un stylo : « Je suis sourd-muet. Achetez un de mes stylos. Donnez ce que vous voulez. Merci. »

Cette nuée de solliciteurs qui collaient à elle l'écoeurait. Chaque fois, elle hâtait le pas. Pourtant, j'ignore pourquoi, son désarroi me crevait le coeur ; j'avais l'impression que c'était à moi qu'elle refusait.

À un moment donné, elle bifurqua sans trop s'en rendre compte, magnétisée par une enseigne au néon.

— On n'entre pas.

Mélina sursauta, comme au sortir d'un rêve.

— Il faut une permission spéciale, enchaîna le portier.

— Vous faites sans doute erreur, s'offusqua-t-elle.

— Vous avez un laissez-passer ou votre carte de membre ?

— Vous êtes nouveau ici ?

— Si vous n'avez pas votre carte, c'est inutile d'insister.

— Il fut un temps où on m'aurait ouvert les portes et déroulé le tapis rouge, murmura-t-elle.

Le portier fut intrigué.

— Depuis combien de temps travaillez-vous ici ?

— Ce n'est pas de vos affaires.

— Poli à part ça ! Si votre patron apprend que vous m'avez empêchée d'entrer, il va vous congédier sur-le-champ, menaça-t-elle.

— Vous venez pour un emploi ou une visite particulière ? demanda-t-il, embarrassé.

— Quelque chose dans ce genre, admit-elle.

— Si c'est une ruse de Sioux, c'est vous qui paierez les pots cassés.

— Vous opérez encore à la demi-heure ?

— Je ne suis que portier.

— Être à la porte du Paradise et être aussi niais ! Est-ce possible ? persifla-t-elle.

Le portier vit rouge.

— Je vous ai assez vue. Déguerpissez. Le patron déteste les fouineuses de votre espèce. Quand elles entrent dans son bureau, elles en ressortent muettes comme une tombe. Il l'a, la manière !

— Toi, tu as trop parlé, dit-elle en faisant demi-tour.

Le portier la rejoignit et la secoua rudement.

— On veut jouer à la plus fine. Que signifient ces sous-entendus ?

Mélina le défia du regard.

— Parle ou j'écrabouille ton petit minois.

— Conduis-moi à Marius et j'oublierai...

— Il n'y a pas de Marius ! Il n'y a jamais eu de Marius, persifla-t-il à son tour.

— C'est vous qui le dites. On change de nom dans le métier.

— Vous l'aurez voulu, dit-il en l'empoignant et en la traînant de force à l'intérieur. Il a toujours un trou pour les petites salopes.

Le patron, un homme grassouillet mais bien habillé, les reçut en maugréant sourdement.

— Que signifie ce tapage ? s'enquit-il, la voix brisée de colère. Tu sais bien que je n'aime pas être dérangé pour des riens, ajouta-t-il à l'intention du portier.

— Je regrette, patron, mais elle s'obstinait à vouloir entrer. Elle dit qu'elle vous connaît.

— C'est sans doute pour qu'elle ne s'envole pas que tu la tiens aussi solidement ? plaisanta-t-il.

Puis, s'adressant à Mélina, il lui demanda :

— Vous désirez me voir ?

— Non, dit-elle froidement.

— Ah ?

— Ce n'est pas ce qu'elle disait tantôt, s'excusa le portier.

— Relâche cette dame du monde qui a sans doute voulu se payer un petit caprice et qui n'a pas eu le courage d'aller jusqu'au bout.

— Mais..., protesta le portier.

— Fais ce que je te dis.

— Bien...

Offusquée, Mélina replaça son manteau et fit demi-tour. Le patron fit un signe discret à son portier.

— Garde-la à l'oeil. Si tu la revois dans les parages, tu sais ce qu'il y a à faire.

Un éclair de malignité brilla dans le regard du portier.

3

Ne plus savoir où aller, ne plus savoir où mettre les pieds. Marcher. Toujours marcher. Aller plus loin, encore plus loin, tout en sachant que l'on tourne en rond.

Il fallait mettre les pieds l'un devant l'autre, appliquer sans cesse ce principe stupide que la nature avait inventé pour créer le mouvement et avec lui les soucis. Pourquoi n'était-elle pas simplement un arbre, dont la seule préoccupation est d'exister, changeant de garde-robe au fil des saisons ?

Et toujours ses pensées revenaient à moi, vil objet de son ultime mépris.

TREIZIÈME CYCLE

1

L'imminence d'un changement important me gagne. Je ne quitte plus des yeux le trou de la bouche d'égout, m'attendant à tout moment à Le voir surgir. La Ville essaie de me parler, de me livrer Son secret.

J'ai atteint l'étape cruciale de ma vie. Dans le trop court laps de temps qu'il me reste à vivre, j'ai le devoir astreignant de me prouver que je n'ai pas eu tort de m'être lancé sur la voie que j'ai suivie.

Le temps presse. Mes forces décroissent à un rythme affolant. Chaque heure qui passe me prive d'une partie de mon énergie et ma rage s'accroît à l'idée de ne pas triompher. Jamais plus ces minutes d'hésitations ne me seront rendues.

Les larmes me viennent aux yeux. Malgré mes efforts douloureux pour conserver ma lucidité, mes facultés défaillent. Le mécanisme irréversible du temps est en moi, gravant le passé à coups de tic tac. Lui seul sortira vainqueur de cette lutte insensée.

2

L'idée de suicide s'est imposée brusquement. À présent, c'est sans doute la dernière victoire que je saurais remporter sur ce corps qui refuse de me servir jusqu'au bout.

J'ai pleuré. J'ai pleuré de ne plus retrouver en moi ce marin fier qui, dans le maelström, avait disputé si chèrement sa vie aux éléments. À mon grand étonnement, c'est sous les traits du touriste que je me suis retrouvé, de celui-là que j'avais alors dédaigné de toutes mes forces, trop prétentieux que j'étais, croyant combattre pour payer le tribut de ma subsistance, alors que l'autre crevait pour avoir confondu plaisir et travail.

Cette vision m'a causé un choc cruel. Est-ce possible ? Suis-je descendu si bas ?

Impossible de me leurrer. Au fil des jours, le changement a été imperceptible, avec le résultat que je me retrouve aujourd'hui très différent. Les principes que j'ai véhiculés depuis mon enfance n'ont plus aucune valeur. Tout est à rejeter.

Je suis à la frontière de la vie. En moi, les pensées de mort côtoient les rêves les plus fous, le suicide et le secret à percer se livrant un duel sans merci.

3

Lors d'une forte intuition de ce secret à percer, je me suis souvenu des promesses mirobolantes de Bébert. Je me suis alors traîné au premier étage et je lui ai téléphoné.

En ressortant de la cabine téléphonique, le propriétaire m'a assailli de menaces. J'ai feint de ne pas l'entendre. Dans sa fureur, il a failli se jeter sur moi, mais mon teint cireux lui a causé un choc. Il s'est éloigné en grommelant pour bien me faire sentir qu'il était le patron et qu'il triompherait de mon obstination.

Bébert a mis une heure avant d'arriver.

— Je veux de la drogue, ai-je dit en le voyant.

Méfiant, il m'a dévisagé.

— Je veux de la drogue, ai-je répété.

— Les compagnies d'aviation sont en grève ? a-t-il plaisanté, égrillard.

— Je n'ai pas de temps à perdre, l'ai-je averti sèchement. Tu en as apporté, oui ou non ?

Bébert a planté son regard dans le mien avant de répondre.

— Oui, j'en ai.

J'ai soupiré.

— J'ai du buvard. Du gold et du bleu. Le bleu, c'est moins fort. Pour un novice, s'il veut revenir de son voyage, c'est ce qu'il lui faut.

— Je veux du gold.

— Du gold ? Ce n'est pas à conseiller.

— Donne. Je n'ai plus de temps à perdre avec les demi-mesures.

— Comme tu voudras ! Tu as de l'argent ?

Je lui ai tendu mon portefeuille.

— Prends ce qu'il te faut.

Bébert s'est servi largement, ne me laissant qu'un seul billet. Puis il m'a tendu la liasse sous le nez.

— Ainsi, tu te souviendras de moi lorsque tu auras besoin de clefs de contact pour d'autres voyages, m'a-t-il défié, afin de me montrer qu'il est le plus fort.

Soudain, son sourire s'est figé sur ses lèvres et il m'a saisi par les épaules.

— Il te faudra oublier, oublier tout ce que nous avons eu en commun dans le passé. Profite de ce voyage pour rayer, définitivement, la femme que je t'ai prêtée, croyant qu'elle serait plus heureuse. À la place, je te donne cette compagne unique. Prends garde. C'est comme une femme. Elle ne te pardonnera pas si tu dépasses la mesure avec elle.

Je comprends mal ses allusions. Seule sa drogue m'intéresse, me brûle les mains.

Depuis que je tiens les enveloppes, ma lucidité est meilleure. Déjà, j'anticipe des résultats. Si Bébert ne m'a pas trompé, l'acide stimulera mes sens déficients. Par lui, je retrouverai le contact intime avec ce qui m'entoure, compensant ainsi le peu de temps qu'il me reste. C'est une tentative démoniaque pour reprendre mes réflexions sur l'égout cosmique et les pousser, les pousser, les pousser jusqu'à l'éclatement.

J'ai déchiré fébrilement une des enveloppes et j'ai collé le buvard contre mes narines avant d'inspirer profondément. L'odeur m'a étourdi.

Ce premier moment d'hébétude franchi, j'ai respiré le buvard à petites doses, jusqu'à sentir couler en moi une grande euphorie.

4

Je suis Dieu ! Quel sentiment étrange ! Je suis là, près de la bouche d'égout, près du néant. Dans mon petit cahier, j'écris le Livre du Monde.

Mon corps s'est séparé en deux et mon esprit s'est échappé de cet amas de chair pour fuir à travers l'espace infini. Je pousse de longs cris, d'une résonance toute nouvelle pour moi, à la recherche d'une autre forme pour me réincarner et éviter ainsi l'Oubli total. Pour une raison qui m'échappe, ce sont les entrailles de la Ville qui répondent à mon appel en gonflant leurs eaux, comme si ce torrent subit devait épurer les égouts avant de recevoir un hôte inconnu.

Le temps, les frontières, plus rien n'existe ! Pourquoi vouloir voyager ? Je suis Dieu... Dieu. Plus rien n'a d'importance. Même si cette certitude ultime ne devait durer qu'un moment, elle vaut toute une vie.

Ce que je ressens ne se communique pas. Tous les mots sont vains. Trop de possibilités s'offrent. Je ne peux plus rien agencer. Je ne suis plus sûr de rien. C'est ça être Dieu. Savoir qu'on n'est pas sûr.

Depuis un bon moment, j'appréhende un phénomène sans précédent. Du noir de l'égout, de ce néant que je peux palper, vont surgir mes propres créatures. Je sais que La Réponse va venir de là, de ce trou cylindrique, car le Cercle est à l'origine du Mouvement, de la Vie.

La Créature que je forge refuse de se manifester. Elle reste au niveau du désir. Je suis incapable de la faire progresser, les possibilités d'agencer la matière informe étant trop nombreuses.

Serait-ce que l'Homme des siècles futurs sera Dieu, mais un Dieu qui ne pourrait créer ? Lorsque l'Homme aura transformé toute la matière pour la reproduire à son image, deviendra-t-il impuissant devant sa propre Créature ? Ou bien aura-t-il tellement de choix qu'il ne pourra en maîtriser aucun ?

Je fournis des efforts extrêmes pour percer le mystère de cette impuissance qui attend l'humanité, de ce chaos qui l'aspire. Ce tunnel noir dans lequel je me suis engagé débouche-t-il sur un mur ou sur l'absence de limites ? Dans un cas, c'est la fin des possibilités ; dans l'autre, le vide. Cependant, dans les deux cas, le problème est le même : l'absence de solutions. Ou bien l'Homme s'asphyxiera pour avoir été incapable de trouver un chemin pour sortir de sa Cellule. Ou bien l'Homme se volatilisera dans le néant pour n'avoir pas su inventer une voie dans ce cadre infini.

Ces pensées me donnent le vertige, m'effraient. La tension est si forte qu'un immense sifflement dans les oreilles m'écrase. Par moments, je crois que tout va éclater, que des mutations profondes se produiront. Puis le sifflement diminue. Je devine que le cycle de l'Homme achève. Peut-être se perpétuera-t-il encore un peu, comme ces arbres qui forment des noeuds autour des obstacles qui gênent leur croissance.

Un changement me dérange. Quelqu'un est arrivé. En regardant autour de moi, j'ai cru que j'ouvrais les yeux et j'ai frémi en reconnaissant le sous-sol où j'ai vécu. Je l'aperçois de loin, comme par une lunette. C'est presque sans émotion que je vois Mélina en train de fouiller. Elle parle fort, ayant sans doute bu. C'est surtout sa voix qui m'agace, m'empêche de me concentrer.

— Je suis Dieu, ai-je murmuré.

Mélina a compris et s'est mise à rire. Son attitude ne m'offusque pas. Maintenant, je suis bien au-dessus de ses mesquineries.

C'est sans émoi que je la vois s'approcher. Elle est saoule, ce qui rend sa voix extraordinairement forte. Elle chancelle à chaque pas et risque de s'écrouler au moindre faux pas. Son désarroi me laisse froid. Je lui permets de venir vers moi, même si j'ai deviné ses intentions. Déjà je jouis à l'idée de la voir buter brutalement contre un Dieu.

Quand elle a été tout près, j'ai senti ses mains se poser doucement sur mes épaules et me pousser avec une facilité déconcertante dans l'égout. Je n'ai pas eu le temps de m'étonner de cette force risible, ridicule de petitesse, qui me renversait dans l'égout.

La chute n'a pas eu lieu. J'ai pu conserver mon cahier et je continue à écrire, une main mystérieuse m'ayant retenu dans le dos.

— Tu écris ?

— Je suis Dieu et j'écris le Livre du Monde.

— Tu es stone ! Voilà ce que tu es ! me crie-t-elle, pleine de dérision.

L'entêtement de Mélina ne me touche pas. Je suis Dieu et elle ne peut rien contre moi. Que je ne sois pas tombé prouve que je suis un Esprit. Un Esprit dont la carapace trompeuse n'existera bientôt plus.

— Je suis l'Esprit.

— Tu es stone, stone ! Tu ne vaux pas mieux qu'une roche ! Tu es exactement le contraire d'un esprit.

Je ne l'écoute plus. Derrière moi, le dernier fil qui me lie à ma carapace se fatigue et je me laisse pendre de plus en plus, comme une goutte de suie grasse qui s'accumule au plafond des égouts tant que son poids ne l'entraîne pas.

Tout est devenu noir et je n'écris plus qu'à l'aveuglette pendant que quelqu'un essaie de m'enlever mon cahier. Mes doigts se crispent et refusent de former des lettres. Partout... partout, des mains... des mains se tendent... se tendent... prêtes à m'accueillir... Le moment est venu... Je plonge... plonge... Une grande chaleur euphorique court vers moi... Je plane... Je vole... Je suis un oeuf... Un oeuf sur un nuage de ouate... Tout chaud... Prêt à éclore... éclore... É-C-L-O-R-E...

QUATORZIÈME CYCLE

1

Catapultés du tréfonds du foisonnement stellaire, des éclairs zébraient le vide infini, la nuit sans lendemain, irisaient les constellations de lueurs irréelles. L'espace sidéral s'animait, ses grandes nappes de poussière cosmique emportées par le vent multigravitationnel des astres se disputant cette manne céleste. Des rubans de lumière jaillissaient de l'ombre sans frontière, se contorsionnaient d'un mouvement irrésistible. Cette féerie éphémère, imaginaire en apparence, s'habillait d'une tension sourde, d'un silence palpable, insupportable.

Les immenses langues phosphorescentes, leur danse folle canalisée, s'étaient mises à tourner autour d'un insaisissable trou noir. Le tourbillon s'amplifiait, aspirant la lumière dans un périmètre qui s'évasait à vue d'oeil. Le trou noir se creusait, s'opacifiait, devenait vertigineux. Entraînés par l'élan incoercible, les astres se scindaient de leur socle, aspirant à leur suite une pluie d'étoiles filantes qui perlaient à la margelle de ce puits céleste.

Le phénomène prenait des proportions démesurées, incontrôlables. L'anneau lumineux gobait constellation sur constellation, s'agrandissait, incapable de contenir le trou noir qui repoussait ses frontières. Une lutte sans merci était engagée entre la lumière et le néant, entre le fugace et le possible.

L'écran cosmique se brouillait, les étoiles désertant leur poste pour endiguer l'ombre de l'envahisseur. Un appel était lancé à toutes les sentinelles de la nuit qui accouraient avec leurs lanternes éternelles.

Le glissement déchirait la carte du ciel. Par ses révolutions endiablées, l'anneau aveuglant, gorgé de la lumière des astres, brûlait l'espace, encerclait l'abîme incommensurable. Ce combat épique jouxtait le titanesque. Un tel déferlement de puissance forgeait des jours sans lendemain, des vaincus sans vainqueur.

Il y eut un krach terrible, un remuement jusqu'aux racines de l'Histoire. La lumière se déchira, happée d'une seule lampée par le gouffre noir.

2

Quelque chose s'était brisé. Je ne savais pas quoi au juste. C'était trop récent, trop imprécis. Je ressentais encore une grande tension et en même temps un vide immense, une impossibilité d'être.

Une impression dominait toutes les autres : celle d'une séparation, d'un déchirement. Il y avait ce poids, cette compression, ce long tunnel noir et étroit à l'arrière. À l'avant, une plaine sans frontière, trop vaste pour être saisie, baignée d'une lumière trop vive.

Impuissant, je voyais un corps s'éloigner, à la dérive dans la fange rejetée par la Ville. Plus la distance croissait, plus le malaise en moi devenait insupportable. J'éprouvais le désir vital de rattraper cette carapace vide, cette carapace qui m'avait oublié.

Quand je décidai enfin de rejoindre ce corps sur le fleuve, des barreaux m'en empêchèrent. J'étais dans la geôle sombre du monstre pendant que le corps sans gouvernail irradiait de lumière. Malgré l'obstacle, un sentiment obstiné me poussait vers ce corps qu'un remous retourna dans ma direction. La figure émergea. Un grand frémissement me saisit. Ce corps avait mon visage.

Comme une bulle qui s'échappe d'une conduite et annonce qu'il y a une fuite, mon corps avait finalement été rejeté dans le Saint-Laurent. Sur la rive, les arbres pointaient leurs bourgeons incrustés, dans leur fraîcheur naissante, d'une couche de poussière encore plus dense cette année. La poussée de sève était forte et triompherait de nouveau de cette suie noire et acide qui la pourchassait jusqu'aux racines, atrophiant les frêles radicules.

Mon corps était entraîné lentement, marié aux détritus, porteur à la mer du message d'un de ses enfants perdus. Derrière, la Ville s'enfonçait dans le lit des eaux. Il était là le monstre aux arêtes multiples et informes, allongé dans le liquide sombre, souillant cette source de vie de tous les pores de sa peau. Mais, bizarrement, à mesure que mon corps s'éloignait, la gangue de pollution écrasait le monstre de son emprise terrible.

Effrayé d'être du mauvais côté de la barricade, dans les viscères purulents du monstre, je m'attaquai comme un fou aux tiges de métal qui me séparaient de mon corps. La rage et la frayeur me dévoraient, me donnaient une énergie surhumaine.

3

— Vite, docteur !

Le médecin hâta le pas.

— Le malade essaie de passer à travers les barreaux de son lit.

En chemise d'hôpital, le patient, pareil à un dément, était noyé de sueurs suite à ses efforts pour écarter cette barricade.

— Donnez-moi la seringue. Nous allons lui injecter une nouvelle dose de tranquillisant.

Le liquide gicla, puis l'aiguille pénétra dans la chair. Vingt secondes plus tard, le malade s'apaisa.

4

Dans sa tunique immaculée, saint Pierre m'attendait, un glaive à la main.

— Ici on ne passe pas, trancha-t-il de sa voix de stentor.

— Je cherche mon corps, me plaignis-je.

— Raison de plus, les infirmes ne sont pas admis, statua-t-il.

Tant d'intransigeance me désespéra. Fou de rage, je voulus passer. Il posa sa main sur mon épaule. Une chaleur bienfaisante me pénétra. Je me retournai. Sa longue chevelure se penchait sur moi. Il avait les traits si doux, pleins de miséricorde, les traits d'une femme.

Je me retrouvai dans l'eau, près de la rive. Sur la route qui longeait le fleuve, une jeune femme, les cheveux au vent dans sa décapotable, partait à la recherche d'une nouvelle aventure. Son allure décontractée attirait les regards ; elle était la reine de la route qui ne mène nulle part. Ses lèvres, gercées aux commissures, tressaillaient de désir, se gonflaient d'une nouvelle sève d'autant plus ardente et maladive que la déception avait été amère. Elle filait vers cet ailleurs, qui n'existe qu'en rêve, pour se construire un autre nid où elle aurait chaud jusqu'au fond de ses entrailles.

— Soly !

Quelqu'un m'appelait, tout près.

— Comme tu as souffert !

La voix était douce, avenante, tendrement réelle.

— Le docteur croit que tu vas t'en tirer.

Le docteur ? Pourquoi le docteur ? Qui était malade ?

Sans crier gare, je revécus les jours où je cherchais désespérément La Solution. Ces heures avaient été si intenses, si fébriles, si débordantes de préoccupations qu'elles me semblaient superflues, impossibles à caser dans ma trop brève existence.

J'ouvris les yeux, me battis avec la lumière qui surgissait de chaque côté de son visage.

— Enfin, tu renais.

Elle souriait.

— Qu'est-ce que je fais ici ?

— Tu as été très malade. Tu délires depuis des jours.

— Qui m'a emmené ici ?

— Les ambulanciers. Je t'ai trouvé dans un tel état, mon pauvre Soly !

La voix m'était familière, mais la lumière vive m'empêchait de voir ses traits.

— Tu as attendu que je reprenne mes sens ?

— Depuis le tout début.

— Je ne suis pas mort ?

J'étais encore complètement incrédule. Après ces interminables cauchemars, je ne savais plus distinguer la réalité de l'imaginaire, le possible du démesuré.

— Même les médecins sont surpris que tu en réchappes. Si le miracle a été possible, je dois t'avouer que j'ai un peu tiré les ficelles.

Mes souvenirs étaient encore trop nébuleux, mes yeux trop éblouis.

— Tu te souviens ? Tu te plaignais de la nourriture. Tu prétendais qu'elle avait changé de goût. Tu avais parfaitement raison.

Je me rappelais qu'il fallait que les contenants soient en verre. Je fermai les yeux, incapable de l'affronter.

— Affolée de te voir dépérir, je te surveillais discrètement. Un jour, toi qui ne sors jamais, je t'ai vu avec un homme. Quand tu l'as quitté, tu t'es rendu à l'hôpital. J'ai soupçonné la vérité. Après avoir mis la main sur ton dossier, j'ai consulté un médecin et obtenu une ordonnance. Ensuite, ce fut un jeu d'enfant d'ouvrir tes pots de nourriture et d'y ajouter les médicaments qui te maintiendraient en vie.

— Élise !

Ce nom était parti de ma gorge à mon insu.

— Soly, il y a des mois que je t'attends, des jours que je te veille.

Je me rebiffai. Comme dans un flash, je me revis à Percé, dans la tente de Mélina, au lendemain de la tempête qui avait failli me coûter la vie. Elle avait proposé qu'on vive ensemble, usant de ses charmes largement étalés. J'avais senti alors qu'il n'était pas juste que je décide.

Aujourd'hui encore, j'étais si affaibli, si miné par la maladie et les médicaments qu'il était hasardeux de prendre une décision qui m'engagerait pour des années. Je devinais sa demande. Mais je me connaissais. J'étais un homme tout d'une pièce. Quand je disais oui, j'allais jusqu'au bout.

— Soly, permets-moi de rester à tes côtés.

— Je n'ai pas la force de te chasser, répliquai-je.

— À ce que je constate, tu retrouves ton sens de l'humour. C'est bon signe.

Sans le vouloir, je m'étais compromis.

— Tout ce que j'espère, c'est que tu acceptes mon aide, ma présence. Il faut que tu guérisses. Le chemin sera long, pénible. Je serai ton soutien, si tu m'autorises à te seconder.

Non, je n'étais pas prêt. J'avais en mémoire cette fameuse nuit où j'avais troqué ma liberté contre des promesses de bonheur sans nom. Qu'Élise fût sincère ou non, je n'avais pas besoin de sa pitié. Quand je serais mieux, car je commençais à y croire, ces liens n'auraient plus aucune signification.

— Je suis disposée à attendre, à t'attendre le temps qu'il faudra, insista-t-elle, la voix pleine d'émotion.

Vas-y, fais ta petite scène, je ne céderai pas. Je commence à peine à goûter à ma liberté perdue. J'ai la tête vide de soucis. Il serait trop bête que je me mette un nouveau carcan.

— Je respecte ton mutisme. Ta réponse n'en sera que plus appréciable quand tu seras en mesure de me la fournir.

Avec les médicaments que j'ai ingurgités depuis que je suis ici, il y a de la buée dans mes pensées. Je suis en butte au désir irrésistible de plaire, mais je redoute les paroles qui sortiront de ma bouche.

— Je peux m'en aller, si c'est vraiment ton souhait.

Oui, tu le peux, mais tu ne t'exécuteras pas avant d'être sûre. Ou, si tu le fais, tu reviendras, aux prises avec des remords.

Elle se leva, le regard triste. Je la regardai sans broncher. En moi, il y avait le feu du doute, le feu de la cruauté. Chaque pas qu'elle faisait vers la porte me déchirait.

— Reste.

Élise s'était retournée, mais ne bougeait pas.

— Tu peux rester, répétai-je.

— Oh ! Soly. Tu ne peux pas imaginer toute la joie...

Sa voix vibrait et elle était incapable de retenir ses larmes.

— Excuse-moi, c'est l'émotion, plaida-t-elle.

— Je t'ai permis de rester, mais j'ai besoin de réfléchir.

Du revers de la main, elle s'épongea les yeux.

— J'ai peur d'une réponse trop vite donnée. Je déciderai si je retrouve la santé.

— Tu guériras, je te le promets. J'y veillerai.

— Alors, seulement, je serai en état de me prononcer pour de bon.

Achevé d'imprimer sur les presses de
L'IMPRIMERIE ELECTRA*

*Division de l'A.D.P. Inc.

Imprimé au Canada/Printed in Canada